「教師の多忙」とは何か

◆篠原孝一

一莖書房

「教師の多忙」とは何か　篠原孝一

目次

はじめに――少し長い前書き　7

プロローグ　9

①新聞の投書から　②学校の多忙さ、いかなる問題か

1　学校というところ　14

①学校の日課表　②すぐに気が付くこと――圧倒的な比重、授業

③子どもが下校してからの学校の週行事＝仕事

④「先生が忙しい」というのは……寺脇氏

2　多忙の主要な理由――授業の準備と整理の時間がないこと　23

3　日課表と週予定に出ていない仕事　24

①要提出書類　通信簿　②授業以外の行事等の準備

③校務分掌　④出張

4　授業について　28

①授業には良い授業と良くない授業がある　②すぐれた授業

③良い授業の前提としての良い学級……　④良い授業と良い学級

⑤授業の準備・教材研究　⑥「教材研究の時間がない」という話題

⑦私はどうしていたか　補論　教材研究を全くしてないとき…　⑧研究授業

⑨「…小中高の教師ごときに研究など必要ない……」稲葉文相　42

5　授業以外の仕事は、いつ、またどこでするか　44

はじめに──二つの異種の仕事　①子どもが帰ってから、つまり放課後に行う
②空き時間に行う　③休み時間……に行う　※付加の論──労働基準法……
④勤務時間が終わってから学校で行う　⑤家に持ち帰って行う
⑥休日に出勤して行う　⑦授業を自習にして行う

6　教師の一日と一週間──ある週の私の仕事　53

①週案──ダイアグラム　②この表の説明
③各曜日の0欄に書いてあったこと。そしてその説明
④週案・ダイアグラムを見てわかること
⑤研修日＝木曜日の行事・球技大会　異例そしてその理由　⑥票の裏のメモ
⑦以上⑥のメモ部分全般の説明　⑧○Class（学級）の項目の説明
⑨○School・grade（学級・学年）の項目の説明　＊雑用・雑務という言葉、そもそも教員の本当の仕事は何か
⑩何からはじめ、またどのように行うか、そしてジレンマ　＊教員のジレンマ

7　教師の一日と一週間をもとにいくつかの問題を考える　82

①教材研究の時間がない　どうするか
②どこで仕事をするか——Ｎｏ残業ＤＡｙ　＊「教員は休みが多い。夏休みがある。」しかし休みに仕事はできない

8　教員が忙しすぎることの結果　90

①子どもに直接向き合う仕事、本当の仕事が削られる
②仕事、授業はじめ指導の質が上がらない　＊川崎市での衝撃的な中学生殺害事件に関連して　③教師が真の専門家あるいは専門職になれない
④教員の専門性の不足が学校と教育界の専門性の不足を来たしている
⑤時間のかかること、手間・暇のかかることは総て捨てられる　＊飼育委員会——ときに動物絶滅
⑥何であっても、新しい仕事を取り入れる、あるいは何かを新しく始めることは不可能
⑦「できない子ども」は放置される　＊〝学力の低い子どもにはせめて実直な精神を……〟三浦朱門氏の言葉　106
⑧教員の健康状態の悪化——これが学校をさらに忙しくする
⑨教員のなり手が減る

9　教員は時間のないことにどう対応するか――強いられる順応　113
10　「忙しい」と言わない教師　118
①聖職型――忙しいと言う　②ひらめ型――忙しいと言わない
③外部目的型――忙しいと言わない
④サラリーマン型――忙しいと言わない　＊重ねて注意
11　「時間がない、というのは無能な人間」か。それは学校では逆。「有能」な教師は教育を駄目にする　124
①有能な教師　ア　管理職の教師、地位の高い教師　イ　有名な教師　ウ　教員として、教員の世界で有名な教師
②子どもに直接向き合う仕事、学校のための仕事、それらは目立たない
③有能な教員は忙しいと言わない。その点も含めて教育を駄目にすることも
④「優秀な教員を優遇する」最悪の愚策
12　学校・教員の多忙――どうすれば良いのか　133
①教員の、つまり学校の多忙を、緊急そして重大な問題と認識すること
②教員、学校の仕事をこれ以上増やさない
③②の系――○○教育に注意する

④不急、不要の仕事を減らす　＊再び教員の本当の仕事は何か——雑務・雑用という言葉　＊給食、減らすべき雑用か　＊給食費未納分の回収　＊予防接種（注射）
⑤表簿、報告等の書類を全廃する　⑥文科省は解体的改革
⑦教員の定員増は必要　しかしそれだけでは駄目　153

13　補充の論　156
①「仕事を一人で抱え込まない」「仕事を抱え込んでいる教頭さんもいる」という表現
②ボランテイア活用は学校の多忙を解決するか
＊＊終わりに　165

はじめに――少し長い前書き

本書は今の小中学校の教師が教師本来の仕事をする時間がないこと、そしてそれが具体的にどういうことなのか、さらにそれが学校と教育にどういう結果をもたらしているかを、私の体験と見聞を基に書いたものである。

学校に時間がないこと、教師が多忙なことは何回となく言われている。しかし事態は改善していない。それどころか悪化している。なのに、このことは無視され、あるいはそんなことはないと否定され、あるいは今まで何とかなったのだからと等閑視されてきた。ここで私はそれらがどれも誤りであることを論証したいと考えている。

本文に詳細に何回も書くことになるであろうが、この世にはお金がなくてもできることはあっても、時間がなくてできることは存在しない。「教師に授業以外の仕事をする時間がない」ということは、もしそれが本当なら、つまり事実なら、今以上の仕事を教師は、学校は何もできない、ということ。何かを新しく行うと、教師が子どもに向き合う時間がさらに削られ、なくなっていくことを意味する。即ち「改革」や「改善」が、時間がかかることなら実行は不可能であること、それどころか有害であることも意味する。そう、極めて重大な問題なのである。

表記上の備考の一。学校と書いたがそれは、私は小学校の教員だったのでだいたいは小学校のこと。ただし中学校にもかなり当てはまると考えるので学校として論をすすめたい。また先生、教師などとあるがみな小中学校、大体は小学校の教員を指す。校長や教頭も教員である。さらに教育委員会にもともとは教員が大勢いる。そう言う人も教員である。しかしとくに断らなければ小学校の担任の教師ということ。高校・大学の教員は原則含まない。

内容上の備考の一。当然ながら教員（担任と教頭）としての私の体験や見聞が多く出てくる。しかしそれは一般的な代表例として取り扱っている。私は自分をドキュメントの対象として使ったのである。自分を語るのは目的でない。それは別の著書・論文で行っている。それで私の体験でも特異なことと思われるものは取り上げていない。

また、当然、忙しさ・多忙さへの私の対処も出てくる。それは参考になることがあるかも知れない。しかしそれもまた副産物であって目的ではない。取り扱っている問題「教師の多忙」は、個人的な工夫で克服できるような軽い問題ではない。

プロローグ

①新聞の投書から

初めに、教員の多忙について、私やまた他の方が新聞に投書して、掲載された文を、紹介しよう。

教育現場の多忙さに注目を

無職　篠原孝一　71　さいたま市

本誌6日「くらし・ナビ学ぶ」の「教委事務局改革が効果」の中で「驚いたのは教委事務局の多忙ぶりだった」との文がある。

実はこれは、小中学校に就職した教員がまず感じることなのである。さらに子ども達が通う学校に行った母親達が直ちに気づくことでもある。

学校にあっては事態は教委より深刻である。というのは、教員は「仕事」のせいで子どものことに手が回らないから。そして私が不思議に思うのは、小中学校の教員が多忙で本当の仕事である子どもに向き合うことができないことは、もう語り尽くされているのに、それが問題として認識されていないことである。

現役教員のとき、私はこれが最もつらかった。仕事がいやなのではなく、子どものことを考え、取り組む時間がなかったことである。たまに後輩達と話すと、多忙は改善されないでますますひどくなっていると言う。全ての人に教育現場の積年の宿弊「多忙」に目を向けていただきたいと思う。

（平成25年5月31日　毎日新聞）

しかり、この文、私がこの本で明らかにし、分析しようとしていることを要約している。もう一つ、比較的最近のもの、私のものではない、を紹介したい。

教師の多忙さの解消が先だ

元小学校長　牛島芳一　神奈川県　67

文部科学省の諮問機関「中央教育審議会」は、子どもの心の相談に乗るスクールカウンセラーと、福祉の専門家スクールソーシャルワーカーを、全公立小中学校へ配置することを目指す将来的な方針を示した。

しかし、その前に取り組むことがある。一つは、教師の多忙さを解消することだ。児童・生徒とゆとりを持って向かい合う時間があれば、教師は子どもの表情や動作から異変を感じ取り、問題を未然に防ぐことができる。

今一つは、全職員が全ての児童・生徒に目を配ることだ。私は校長時代、よくこういった。「どの子どもも、自分が受け持っていたかも知れない。また将来、自分が受け持つことになるかも知れない。そういう想像力と連帯感が必要だ。」その雰囲気は保護者にも伝わり、学校は明るくなった。

人は「専門」という言葉に弱い。カウンセラーやソーシャルワーカーが配置されれば、問題解決は、その専門家に任せればいいという安易な考えが生まれがちだ。やはり、基本は「教師にゆとりがある明るい学校」だ。教育行政は、その基本の確立にまず力を注いでほしい。

（平成27年7月10日　朝日新聞）


これは、大筋において私の投書と重なる。ただし小さい問題もある。しかし、それ、ここでは論じない。それは本書で詳細に論じるから。

②学校の多忙さ、いかなる問題か

かなり以前、新聞の投書欄にある意見が載っていた。それには「教師が、多忙を訴えているのを見てがっかりした」とあった。考えてみると、多忙を訴える、というのはおかしい、とも言える。何故なら、およそ普通の職業人で、また、生活者で「ひまな人」は原則いないのだ。「忙しい」のは普通のことである。

しかし、教員は、多忙を訴える。私もその一人だ。それで考えなくてはならないのは、何故教員が多忙を訴え、問題にするかである。そこには普通の多忙とは異なる何かがある筈だ。私は本書で、それを私の経験をもとに具体的に述べることで示したい。

ここでまた引用をする。それは昭和40年頃、教育を扱って、大ベストセラーだった、ある。毎日新聞社発行の『教育の森』という本からである。今参照しているのは昭和41年とある。3教師・その実情という巻である。それには多忙という章がある。以下はそのはじめ。

「結婚して教師をやめ、家庭にはいっていた元の女教師が十年ぶりに復職し、四十年の春から再び教壇にたった。…中略……二ヶ月もしないうちに、夢は半分こわれてしまった。

『学校ってこんなに忙しいところだったんでしょうか。いつもせかせかと、何かに追われているよう。職員室の空気もまるで変わって、落ち着きがありません。十年前はこんなではありませんでしたのに……』と彼女は目を回すのだった。…以下略。」

この本は今から五十年、半世紀前のものだ。ところが、文中の女教師の言葉は現在のベテランの教員の多くが言っていることと同じである。

これで分かること、それは学校・教師の多忙は昔から問題だったということ。そしてそれが現在も問題にされている。つまり、非常に長い間、解決はもちろん、改善もされていない、ということ。ここにまた一つ考えなければならないことがある。何故、そうなのか、をである。

私はそれについて次のように考える。第一は初めに書いたように教員の多忙さの実態というかあり方が正しく理解されていないこと。さらに言えばそれ故に、多くの人が実際には、教員が多忙と思っていないのではないか。あるいは当たり前のこと、当然のことに泣き言を言っている、と考えているのではないか、ということ。それで私は教員の多忙というのがどういうものかを本書で、具体的に示すつもりである。

次に教員は何故多忙を訴えるのかである。もとより、忙しさにもいろいろあるのは当然のこと。ここで、教員の多忙の具体を示し、そのことでその独自なあり方も、一般的な言葉だが、その特殊性を明白にしたい。それは、ただの忙しさとはわけがちがう。教員とその指導を受ける子ども達の運命がかかっているのだ。これが妥当かどうか、そして教育がこのままでいいのか読者において考えていただきたいのだ。

1　学校というところ

まず、学校というところについて基本的なことを説明したい。これ、読者が教員の場合には不要だが、そうでない人には知っておいていただかないと話にならないのだ。また学校の事実を書くだけで、教員の多忙さについてはびこる、名論卓説ならぬ，多くの迷論悪説の正体を明らかに、また論破できる場合があるから。

なお、この部分、最近教職を終えた知人に現状を聞いて確かめ、いくつは文を補充した。補充した部分は（A氏）としてある。

①学校の日課表

これは基本的に何処の学校でも同じ。もちろん細かい違いはある。示すのは当然私の勤務していた学校のもの。（因みに私は小学校で担任として28年、教頭として8年、定年後も教諭として1年非常勤講師として2年勤務した。）

出勤は8時30分。退勤は、はじめ16時30分後に17時15分。

8：30～8：40　職員集会
管理職からの指示、職員同士の連絡・打ち合わせなど。子どもは自習している。
今は週に1～2回。放課後にしているケースも（A氏）
8：40～8：50　学級活動　朝の会
教室へ。子どもの出席を取り、健康観察・連絡等
8：50～9：35　授業　1校時　一時間目と言われる
9：35～9：40　休み時間　5分休み
9：40～10：25　授業　2校時
10：25～10：40　休み時間
10：40～11：25　授業　3校時
11：25～11：30　休み時間
11：30～12：15　授業　4校時
12：15～12：55　給食
12：55～13：20　昼休み
13：20～13：40　清掃
13：40～14：25　授業　5校時

14：25〜14：35　学級活動　　帰りの会
14：35〜15：20　授業　6校時　あるとき。通常授業は5時間で終了。
15：30〜16：15　　7校時　右と同じ

②この日課表を見て、すぐに気が付くことがある。それは学校における授業の圧倒的な比重である。ふつうの教員は大体授業をしているのである。割合で言うと、休み時間を容れて、勤務時間の三分の二から四分の三である。

ここで、小さな問題。子どもの作文に「…職員室へ行ったら先生が仕事をしていました。……」というのがよく現れる。当の教員にしてからが「仕事をする時間がない。」などと言う。授業は仕事ではないのか？　これも後で考えよう。

授業の基本的な属性　　準備と整理（評価とも言う）が不可欠。

授業については考察すべきことは多い。先ず、授業はそれ自体大変な仕事である。しかし仕事はどんな仕事も大変だ。それでその特殊な大変さはまたあとで取り上げることとして、ここではその基本的な性質を確認しておこう。

授業は、教師の場合、準備しておかないとできないのである。分かり易い例で述べよう。図画工作の授業。私は以下取り上げる週で工作、木工をしていた。この場合、教師の私が使う木材、工具、のこぎり・玄翁・釘・切り出しナイフを用意しなければならない。または必要なものを持参するように前もって子ども達に伝えておかなければならない。どれか一つでも抜けるとこの授業はできない。他の授業でも同じ。準備なしでは授業はできないのだ。そのうえに、教員にはどのように授業を行うか、授業計画も必要である。

授業の整理。授業終了後には事務的な後始末の他に、評価ということが必要。それはどの程度指導ができたかを知る、あるいは調べること。例の木工なら、子どもの作品を見て調べる。全くできていない子ども、あるいは素晴らしい作品を作った子ども。いろいろだ。そしてそれを記録してあとで参考にする。また事後処置もする。未完成の子どもにはケースにより各種の対応が必要になる。記録は通信簿の資料にももちろんなる。しかしそれはいわば付録。

別の例。算数でかけ算を教えた場合。これは、全員ができないと先に進むわけにはいかない。そして全員について厳格な確認・評価が必要である。ペーパーテストはもちろん、かけ算の場合には、一人ひとり個別に確認する。この種のことを検定などと言うこともある。

③子どもが下校してからの学校の週行事＝仕事

子どもが下校してから（よく放課後と言われる）行われる学校のつまり教師の仕事を書いてみる。今でも「教員は授業以外の仕事をしていない、子どもが帰ったら遊んでいる」と思っている人がいる。それが誤りなのは以下で明らかであろう。

月　職員会議　隔週のケースも　月一回が多い
火　学年会　この日以外にも、ときには毎日必要（Ａ氏）
水　クラブ活動または委員会活動
木　研修
金　（定例行事はなし）

それ以外に出張、業者との打ち合わせがあるし、最近は英語関係の打ち合わせが多い。（Ａ氏）後に詳述する校務分掌がある。

日課表と同じく説明する。

職員会議　教職員全員で行う会議。管理職からの指示・伝達、行事や当面の課題・

問題あるいは外部での会議等についての担当からの提案あるいは連絡・報告など。

学年会　学年が複数の学級で構成されるとき、同一学年の教員で、学校、学年の行事などについて、打ち合わせ・連絡・相談をする。火曜の欄に書いたようにこの日以外にも行われることがよくある。（A氏）

勤務時間終了後の18・00からよく行った。（A氏）

クラブ活動・委員会活動　特別活動、略称特活とよばれる学校教育の分野。子どもが自分の好きなクラブ（委員会）を選んでそこで活動する。教師が指導・監督をするが、基本的に子どもが自主的に活動することをめざす。

クラブは子どもの好みに応じる。4・5・6年の子どもが参加。委員会は同じく5・6年。参加しない学年は下校。クラブにはサッカー・料理・バスケット・合唱など。通例10前後ある。委員会は学校の仕事を子どもが行う。放送委員会・飼育委員会・保健委員会・学校園委員会など。これも10前後。クラブも委員会も学校で数や種類がいくらか異なる。

研修　子どもを帰して、教員が研修＝勉強・学習をする。学校で年度当初にテーマを決め、年間計画をたてそれに従って行う。

それ以外に、救急救助法や体育実技などの研修も随時実施される。

ここで分かるのは授業以外の仕事の存在と、既述の、それらを行う時間がもともと限られているということ。

さて、ここまでで明らかなのは、授業の準備や整理などの仕事をするのは、会議のないときの月曜日と金曜日しかないということ。ここでこれも既述の授業に必要だったその準備と整理の具体を、思い起こしていただきたい。

④「先生が忙しい」というのはこれも非常に文学的な物言いで、実証されてないわけですから　文部省政策課長（当時）寺脇研氏

教育社会学者の刈谷剛彦氏と右記寺脇氏の対談で寺脇氏に以下のよう発言がある。

大学も同じだけど、会議がべらぼうに長いですよね。なんでも合議制で決める仕組みはいいのでしょうか。極端な例だけど、トイレのドアのウチ開きを外開きにするのに職員会議で一年かかったなんていう現実もあります。「先生が忙しい」というのは

これも非常に文学的な物言いで、実証されてないわけですから。
（不適格教員宣言　赤田圭亮　187ページから）

「学校が忙しい」との訴えによく「職員会議をやりすぎるせいだ」との意見？が出される。寺脇氏の発言もその亜流ともいえる。

私も、出張での会議、研修会で「忙しくて……」と言ったことがあった。そしたら前に座っていた助言者だったか、指導者だったか、要するに偉い人が「ちんたらちんたら、職員会議をしているからだ！」とものすごい勢いで怒鳴った。これ、正式な、公的な席でのことなのである。私は内心「何だと、この野郎！」と思ったが、彼のように口にはしなかった。後で別の、隣にいた人が会場に謝罪した。

さて、二つの事例について。「学校が職員会議のせいで多忙」の筈がない。それ職員会議は多くて一週間に一度の、今はだいたい月に一度行われる、それもたかだか2時間のこと。週予定をみれば明白である。多忙と直接の関係はない。

ここで著名な寺脇氏の発言から分かる。彼の正体と本音が。今までの数え切れない現場からの多忙の訴えは彼には無いと同様なのである。つまり寺脇氏は「学校現場は忙しくない」と考えているのであり、そして現場の声に関心はない、ということ。これが文部省高官の実態。よく、記憶しておくべきであろう。

2　多忙の主要な理由――授業の準備と整理の時間がないこと

まだ論を始めたばかりだがここまででも多忙の理由、それもかなり有力な理由が分かる。それは授業に不可欠な準備と整理の時間の不足である。子どもの帰るのは通常でも2時35分でそれから退勤の17時15分までは2時間40分しかない。全部を授業の前記準備と整理に当ててもである。これで当日の整理と翌日の授業について、それぞれ4時間ないし5時間分をしなくてはならないのである。

大学での講義で、また教育実習（教員免許を取得するには必要なこと）などで「1時間の授業には1時間の準備が必要。そうしてほしい。」などと言われた。今思い返すとよくも絵空事のようなことを言ったものだ、と感じる。もしその通りにしていたら学校ではそれだけで勤務時間が19時まで必要になってしまう。ただ前述の言葉は授業の準備が大切であることを言ったのであろうが。

そして既に書いたように、また、これから示すように、子どもが下校してから教員にはすべきことが山積というくらいあるのだ。

3　日課表と週予定に出ていない仕事

さて今までに出てきた授業とその他の仕事だけでも大変である。取り分け授業の準備と整理を行う時間が不足しているのは明らかであった。しかし、ここに出ていない仕事がじつはたくさんあるのだ。それを列記しよう。

①調査・報告・帳簿などの要提出書類。また子どもに渡す通信簿の作成など

管理職から、また担当職員から期限までに提出しなければならない書類が毎日のように出てくる。それは数分でできるようなものから、何日もかかるようなものまでいろいろある。そしてこれ、しないということは当たり前だができない。仕事であり、しなければならない。

通信簿は、とくにそれをつけるに必要なデータの整理が大仕事である。ただその作成のために学期末の一週間、授業を午前中にして（短縮授業という）午後の時間が、教員に与えられる。「私の学校では給食の関係で2日しかなかった（A氏）」もちろんそんな時期よりはるか前から準備しないと間に合わない。

詳論しないが、これ通信簿を、私は廃止すると良いと考えている。

②授業以外の行事等の準備

授業以外に学校には学校行事という「大仕事」がある。運動会また遠足、修学旅行・林間学校などの校外行事、音楽会・発表会・学芸会など。また授業参観・懇談会など。全く異なるがＰＴＡ行事などというのもある。これらは立案、プリントの印刷・配布、打ち合わせなどがそれぞれ必要である。これらは時間を見つけて行わなければならない。

③校務分掌＝個々の教員による学校の仕事の分担

今までに出ていない学校の各種仕事の分担。この年度の私の例で語ろう。他の人もだいたい同じようなものである。

この年度私は6年担任であり、学年主任であった。学年のことを指揮し取り仕切らなければならない。さらに視聴覚部（学校の放送室、また放送器具、テレビ・ラジカセなどの機器の管理をする）の主任でもあった。そして社会科研究部（社会科関係の教室、資料・道具の管理をする）の主任でもあった。一番重いのは研修委員長という仕事。前記週に一回ある研修の、学校における立案・推進の責任者だった。このように沢山「仕事」をしているのは私だけではない。他の同僚も同じ。そんなことは当たり前である。

まだある。ＰＴＡ関係の部門、さらに分けられた、子どもの通学区域の地区担当、さらに校外の市教員研究部の仕事。どれもこれも決められた仕事はしなければならない。もちろんＰＴＡ以下の仕事は毎日ある仕事ではないが。

④出張

そうたくさんあるわけではないが、学校を出て、外部で行われる会議・研修・研究等への参加。一日かかるもの、午後からの半日のもの、いろいろである。この場合には授業と、学校での仕事はできない。

授業以外の「仕事」がたくさんあることはお分かりいただけるであろう。これを何回も繰り返すが会議のない月曜と、金曜日にしなくてはいけないのだ。授業の準備・整理の他に、である。そして、「空いている」月曜、金曜をねらっていろいろな会議や、また出張が組み込まれる。学校にはいろいろな組織があるのだ。校務運営委員会・研修委員会（この二つは月・木にできる）・体力向上推進委員会・保健委員会等々。これらもなかなか開催する時間がなくいつも開催日をみつけている状態だ。出張は既述のように校外での会合であるがこれらも事情は同じ。なかなか開催日時が取れず、行うのに苦心惨憺している。

4　授業について

ここでしばらく学校とそこでの多忙さから離れて主な仕事、圧倒的な比重を持つ授業について、学校の多忙を論じるのに必要な程度にまとめておきたい。それは、どうしても必要なのである。学校というところの独自性が分からないとそこの多忙さの独自性もまた分からないからである。そして授業こそ学校とその多忙さの独自性の集約なのだ。

それで授業について最小限必要なこと、一般的・常識的なことを整理しておく。しかし学校教育の世界では、常識にもいろいろあって、私には常識と思うことが別の人にはちがう、ということがよくある。しかしそれは、読者において当否を判断いただくよりない。

①授業には良い授業と良くない、悪い授業がある

部外者は教員のしている授業はみな同じと考えている。実際に教員はみな同じような授業をしているのでそう考えるのももっともである。稀には教員にもそういう人がいる。しかし、じつは違う。授業にはピンからきりまで大きな差がある。それは授業をしている私たち教員が最もよく知っている。ある中学校の先生は著書で授業を誰もが同じことをする事務の一種みたいに考え、取り扱っていた。その学校、いわゆる荒れていた学校、では生徒に授業を受けさせるまでが大変なのであった。それでそういうことになったのかも知れない。

さて、良い授業と悪い授業を詳細に述べると、それだけで優に本一冊分になってしまう。なので簡単に述べておこう。良い授業とは、教えることをよく身につかせる授業，子どもを快適にする授業、これは実は多くの場合同一なのであるが、のこと。その反対に、教えたことが身につかない授業、子どもを不快にする授業は悪い授業である。もちろん教員は良い授業をすることを常に目指している。学校で、教員の行う「研修」はかなりが良い授業ができるように、という目的で行われている。

②すぐれた授業

それでは良い授業というのはいかなる力を持つのだろうか。ある優れた教師の著作から引用してみる。

すぐれた教師のすぐれた授業によってひきだされる子どもの力は、その瞬間に美しく花咲くばかりでなく、それは人間のもっとも深いところへ働きかけ、子どもの日常の行為の中に転移し、歴然としたかたちであらわれるものなのである。決然とみずからを律する力、困難に向かっていよいよ発揮されるしなやかなつよさ、それはまさに人間のもちうるすべてのよき本質のみがひきだされ、鍛えぬかれ，研ぎぬかれたうつくしさなのである。

（武田常夫『授業者としての成長』明治図書より）

全くこの通りなのである。すぐれた授業は子どもを変えてしまう。それを受けたクラスの子ども全員を最高に近い状態に引き上げる。もちろん教えるべきことは確実に身に付かせる。そして逆も真。良くない授業は子どもの状態を悪化させる。身に付けるべきことは概して不十分にしか付かない。大きなばらつきがある。良くない授業を続ければ、いわゆる学級崩壊となること確実である。ただし注意。学級崩壊は悪い授業だけでなく他の原因でも起こる。

である以上教員はみな良い授業をすることを目指す。そして、既述のように、良い授業は十分な準備なしにはできない。これはあまりにも明らかなことだ。

③良い授業の前提としての良い学級、そして良くない、悪い学級

授業は学級という集団を相手に行われる。そして授業と同じく学級にも良い学級と悪い学級がある。これは、教員はもちろん、教員でない人も授業参観やPTA活動で学校へ行ったりして「良いクラスだった」とか「悪いクラスに入って」などと話題にする。

ここで良い学級・クラスと良くない学級・クラスとはどういうものか述べておこう。先ず、良い学級。長い教員生活でかなりの良い学級を見てきたが分かり易いので私の体験を述べよう。以下の学級が良い学級だったと知ったのは、ずっと後であった。

中学校時代のことである。我々のクラスに来る先生は皆「このクラスは特色がある」と言っていた。確かにその通り、素晴らしいクラスだった。雰囲気が良かった。そして皆仲が良かったし明るかった。私自身学校に行くのが楽しかった。それで勉強もした。それも一人でなく友人と何人かで。徹夜したことが何度もあった。ある日友人宅で勉強した。気が付くと夜中の12時ちかい。私が「もう遅い。やめよう。」と言った。するとAが「これを終わりにしたい。もう一寸。」と言う。少し経って「もういい？」と言うと今度はBが「もう少し。」と言う。そんなことを何回かしているうちに夜が明け、さらに登校の時間になってしまったのだった。それでそのまま登校した。こん

なことが何回もあった。

我々だけでなく他の人もよく勉強した。平均点も良かったにちがいない。一つ覚えているること。あるテストの成績と名前が学年得点順に廊下に張り出された。満点が5人いたが全部我がクラスだった。これ、珍しく私も満点だったので覚えている。

こういう学級は教員にとっても良いことは言うまでもない。子どもといるのが楽しく、手間はかからない。そのうえ能率は上がるのである。

今度は悪い例。これは比較的最近。と言ってももう20年ちかく以前のこと。授業中のそのクラスへ行った。そのクラスは授業が成立しない、というので全職員が交代にそのクラスへ行ったのである。行って驚いた。子どもはほぼ全員先生の言うことを聞いていない。何か指示しても実行はしない。紙飛行機を飛ばしたり、消しゴムの投げっこをしていたり。手悪さをしている子、漫画を見ている子……。教室には紙くずやごみが散らかり、いわゆるごみ屋敷だ。

私はこういう光景を見るのは初めてで本当にびっくりした。学級崩壊である。担任は半病人という有様で本人も周囲も休職や退職を真剣に考えていた。

この学級は当然学校全体の課題となっていて、前述のように校長を先頭に全教師でこの学級に取り組んだ。6年だったがいくらか落ち着いたころ卒業して行った。

こういう学級は，そのクラスの子どもにとって良い環境でなく、快適でないことは確実である。授業が成立しないのだから学力も付かないであろう。そして教員にとっても良くない状況である。特に担任の教師には毎日が地獄であったことは間違いない。

④良い授業と良い学級

良い授業と良い学級、悪い授業と悪い学級はかなりの相関がある。悪い授業ばかりを続ければ確実に学級崩壊に至る。良い授業、良い学級と悪い授業・悪い学級では天国と地獄の差がある。教師が良い授業を目指すのはもちろん子どものためである。しかし恐怖の学級崩壊をふせぐためにも、良い授業のための努力が必要なのだ。

そしてまた繰り返そう。授業の準備・整理のための時間は保証されていないのだ。それは既に書いた。したがって教員の場合、誰にも学級崩壊の危険はある。

ここで一つ付言。学級崩壊について。それは授業だけのせいとは言えない。既述した学級の担任は特に授業が下手ではなかった。人間的にも真面目で、勉強もしていた。何故あんな風に学級がなったたか、誰にもはっきりしたことは分からなかった。それ、良い学級も同じで、やはり既述の私の経験した学級も何故良かったのか正確には今でも分からない。良い学級のできる理由も、悪い学級ができる理由も私の知る限り決めての理論は存在しない。この議論には本書の性質上これ以上の深入りは無用であろう。

⑤授業の準備・教材研究

さて、じつは教師には授業について普通の準備の他に独特の準備が必要なのだ。そしてこれが教員以外の人に分かりにくい。それは教材を準備できたとして、それで何を、どのように教えるかという計画が必要なのである。これを教員は教材研究と言っている。これを全くしてなかったら授業はやりようがないのだ。これは事務的な仕事との大きな違いだと私は思う。事務的な仕事は、だいたい同じことを毎日繰り返している。しかし授業という仕事は、ことに小学校の場合には、同じ授業は二度とない。年間指導計画というものがあっておおよそいつ何を指導するかは決まっている。指導書というものもあって、どのように行うかの試案も出ている。しかし、少なくてもそれを読んで自分のものにしていなければならない。さらに大体の場合、そのクラス向けのアレンジが必要。つまり事前の仕事は必要なのである。

⑥「教材研究の時間がない」という話題

教員になりたての頃、私とだいたい同年齢の若い女性の同僚に「教材研究の時間がない」と言ったことがあった。彼女も同意して「今は一人（独身）で時間がつかえるけど、結婚して、家事や育児をしなければならなくなったらどうなることか、と思ってしまう。」と言った。

数年後別の学校で、今度はやはり若い男の同僚に「先輩の先生方、たとえば主婦でもある女性、またいくつもの大役で活躍している男性は教材研究をどうしているのだろう」と言った。彼は「やってないに決まってますよ。」と言下に言った。

ところが、今度はある話し合いの場で「教材研究の時間がない」とまたまた私が言ったことがあった。そしたら中年の主婦でもある先輩教師が突然怒り出した。「あんた、そんなこと（教材研究）もしてないのか。皆必ずしているのに」。彼女は、私には、もっとも忙しそうにみえ、それ故に先の男の同僚の言では一番やっていない筈の人だった。とにかくその剣幕に恐れ入るしかなかった。これ、今思うと弱点を指摘された（教材研究をしてないという）ので怒ったのではないか、という気がする。

こんなこともあった。ずっと後年、教材研究が話題になったとき、ベテランの女教師が「私は、教材研究はしない」と言っていた。「子どもと一緒に（初めて）教科書を読む」とも。さらに、後年、これは男のベテラン教師が「だいたいは、ぶっつけ本番で授業する」と言っていた。両方とも、どちらかと言えば評判の良い先生だった。

また、「教材研究？　家で（つまり学校でなく、学校ではできっこないので）するのは、当たり前だ」と言っていた人もいた。

教材研究は、教員の世界では、必ずしなければならないこと、すべきこととされている。しかし、すべきであるというのと実際にしているというのは別である。事実は書いた通り。教材研究をする時間は「普通にしていたら」ないのである。それ故に「してない」教師や「ぶっつけ本番」の人がいても不思議ではない。何故なら、それをしている時間はないからである。する時間がない、つまりできないことをする義務は誰にもない。

⑦私はどうしていたか

先ず、私は教員になった当初、教材研究をしないで授業をするくらい嫌なことはなかった。多分教員は皆そうであろう。教材研究をしていない授業は五里霧中という感じ、あるいは海を漂流している、そんな感じでもある。そしてふつうは子どもの拒否反応を引き起こす。それからが、道が分かれる。もし「ぶっつけ本番」でいつも授業をしていればそれはそれで上達したり、あるいは何らかの方法があるのだろう。でも私は、多くの人と同じく「必ず、何があっても教材研究をする」ことを選んだ。たいへんだが年度当初に時間を見つけてできる限り年間指導計画や教科書を読んでおく。じつはそういう時間も、勤務時間中にはない。当然休みのときか、家で行う。

そして学校がはじまってから、子どもが登校するようになってから、私はどうしていたか、簡単に、これもあとのために、書いておこう。先ず、学校ではできないのは書いた通り。学校でも時間をみつけて行うことをいつも狙っていた。しかし、まとまった時間は通例取れない。

じつはこれ、家でも同じ。それで、土曜日に（私が担任の時は土曜日がまだ出勤だった）かばんに教科書を詰め、帰りに場所を見付けて、たいていはあまり混んでいない喫茶店で、翌週の大凡の計画を立てた。もちろん年間指導計画以下は年度当初読んであるし、全く真っ白ということではない。しかしここで一週間分の予定、週案と言っていた、を立てる。原則それで一週間の授業ができる程度の計画を立てる。もちろんあとで出てくる用紙にこれを書いておく。2～3時間かかる。特別な準備や、そこではできない用意は別にメモしたり、朱書きにしたりして日曜あるいは月曜にする手はずを整えておく。これで「ぶっつけ本番」からは免れる。あとは家に帰ってから翌日のための教材研究をする。するのは自分の子どもが寝てからになる。もちろん夕食後直ちにすることもある。忙しいときはその連続で家族には申し訳のないことになる。これ教員はだいたい同じだと思う。

補論　教材研究を全くしてない、仕事の段取り・予定も全く立ててないとき

飛躍した例で恐縮ながら、それで授業をするのは、お金を一銭も持たないで買い物に行く。それと似た状況。子どもの前に、教材研究全くなしで立つ。そんなとき、じつは普段の、いわば正常なときと逆の心理状態に陥る。先ず授業をしなければならない。しどろもどろ、五里霧中のような感じ。もちろんそうでないように装う。普通と逆に、そんなときは一時間の授業がやけに長い。何とかこなすのだから当然だ。教材研究がしてあるときは授業は「短い」。予定のことができないうちに終わってしまう。それと反対だ。そして、それだけではない。ふだん毛嫌いしている「雑用」がありがたく思えてくる。

その一。ふだん重荷あるいは無用と思う会議に出るとき。これが救いのように思える。なにしろ「仕事」をしている。「義務」を果たしていることになるから。

第二。目先の雑用、事務的な仕事も同じ。すべきことがない、正しくは分からない状態ではそれらはありがたい存在。何でもやっていれば、仕事をしていることになる

し、義務を果たしていることになるから。

これが、最悪の状態であること。私はそう考える。だからこうならないようにと努めてきた。したがってこんなことは、はるか昔に1～2度あっただけのこと。しかし、いつもこういう状態でいたら。それはそれなりに、一つのタイプになるかも知れない。時間のない教員の状態から考えるとそんなタイプもいないとは言えない。

忘れられないことを一つ書いておこう。私が若いとき勤務校の会議で仕事を増やすことに反対して、教材研究の時間がないこと、ことに理科の実験の準備に時間がとられていることを述べた。当時は6年でも理科を担任が教えていた。そしたら後刻提案者側だった校長が言った。「そんなことは、さっとやっちまえば良いのだ。」私は言葉を失った。教材研究は「そんなこと」なのか、また「さっと」とはどんなやりかたなのか。彼には教材研究よりはるかに大事なことがある。そう思うしかなかった。

そのころ偶然遠い別の学校の子どもと話した。そしたら理科の実験というのはやったことがない、と言った。先生が教科書の図を見て説明して終わりなのだとも。あるいはこういうやり方が「さっと」なのかも知れない。これでも「教科書を教える」ことになる。もちろん違法でも不当でもない。これなら、ずいぶん楽である。

⑧研究授業

ここで授業に関連して右記の研究授業というものについて述べよう。学校ではすごく比重の高い事業であり言葉である。それは字のように研究のための授業である。研究の目的は、それを行う教師はもちろん、協力したり、見学したりする教師も、要するに関わる教師全てが良い授業ができるようになることである。学校で圧倒的な比重を持つ授業について研究するのは当然であり、それが比重が高いのもこれまた当然であろう。教員の研究で、また学校で行われる研究（研修と言われる）で、研究授業がないことは先ずあり得ない。

その研究授業では、誰かが授業を行い、その全ての過程が研究あるいは点検の対象となる。教材の選定、その研究、指導案の作成、実際の授業、授業の結果などなどが。話し合いで研究がなされ、その話し合いも記録される。今は授業をビデオで取っておいてそれを必要なときは見て研究を行う。授業は一人で行われるから研究授業も行うのは一人である。もちろん関係者が協力する。ときには共同研究者という人がいることもある。研究授業をする教師、よく授業者と言われる、は協力が得られるとはいえ、原則全過程を一人でしなければならない。これは大変なことである。それで、研究授業の授業者を決めることは大仕事だ。通常、当然のことながら、希望者はいない。今まで述べてきたように教員は多忙なのである。そのうえに大仕事を抱え込むのだから。そして、これは大事なことなので記憶願いたい。以上述べたように万全とも言える準備をして行われる研究授業、それが成功というほどに良い授業であることは殆ど無いのである。もちろん日常の授業、あるいは普通の授業よりは良いことが多い。しかし厳密に観察、点検される研究授業にあっては問題や欠陥もまた多くあぶり出される。いわば白日の下にさらされる。一つには、これが恐ろしくてやり手がいないのだ。とにかく他人の欠陥はよく分かる。また研究という以上は問題を取り上げないことはあり得ない。それで、膨大とも言える時間と手間をかけていながら、それに応じる「良い授業」であることは殆どと言ってよいくらいない。これが残念ながら事実。何故そうなのかは、本書の主題と直接関係ないので詳説はしない。一つには授業そのものが難しい仕事なのである。

研究授業にはよく講師として、指導主事などのやはり教員が呼ばれ参加する。しかしその講師にしてからが真に良い授業はしていない、あるいはできないことがある。それは講師が良くない、とか制度が悪いとかいうことではなく、それらが完璧でないことは当然ながら、基本は良い授業の実現が難しいということ。

そして、ここにも教員に時間のないことが遠因としてある、と私は考える。

第一。いくら研究授業と言っても、普段している、平常の授業とそんなに変わった異質の授業はできない。普段の授業が準備時間の不足で低レベルからなかなか抜け出せない今日、研究授業だけ飛び抜けて良い、ということは原則あり得ない。

第二。納得いくまで考える、あるいは追求する、研究に不可欠なこのことが。時間不足の学校では原則できない。これ、研究授業にあっても同じ。

以上が多くの研究授業が満足のいくものでないことの底にある。

⑨「小中高の教師ごときに研究など必要ない……」稲葉文部大臣（当時）

かなり以前のこと。忘れられないことがあった。それはテレビで見たこと。当時の文部大臣が、多分誰かに「教員に教材研究の時間がない」と言われたことへの応答だったのであろう。すごい剣幕で以下のことを怒鳴った。

「小、中、高の教師ごときに研究など不要だ！　教科書に書いてあることを、ただ教えれば良いのだ！」

この、文部大臣の発言を、必死で教材研究の時間を探している「小、中、高の教師ごとき」は決して忘れてはならない。こういう文部大臣が、また政治家・代議士がいたということ、それは今もいる、ということ、さらにこれが彼等の本音であり、認識だということを。

前記『教育の森』に、やはり、同じ発言を別の元文部大臣がしていたという記録があったので引用しておこう。それは新書版教育の森のNｏ10教職の条件の120ページにある。

太字の小見出しは〝「小・中・高の教師ごときに研究など不必要だ」と荒木万寿夫元文相はいった〟であり、本文では研究や教育の自由に関連して見出しの荒木氏の発言がなされたことが書かれている。

何回も同じことが繰り返されている。ということは「小・中・高の教師ごときに研究など不必要だ」は文科省の、大臣以下の不変の常識なのであろう。

5　授業以外の仕事は、いつ、またどこでするか

授業以外の仕事、既に書いた要報告あるいは要提出の書類また校務分掌の仕事などA、また授業の準備等の授業関連の仕事Bなどは、いつ、また、どこでするか。これを整理しよう。

はじめに――二つの異種の仕事

実はAの仕事とBの仕事とは大きく異なる。第一にAは直接子どもに関わらない仕事であり、Bは直接子どもと関わる仕事である。第二にAはしないですますことはできないのに対してBはしなくても咎められることはない、ということ。この違いは教員にとっていろいろな面で大きい。このことは重要なので銘記いただきたい。それ故に後で詳しく取り上げたい。ここではそれは指摘するだけにして右の問題を整理しよう。

いつ仕事をするかとか、どこでするかとかいうことは考えればすぐに分かること、当たり前のことだ。しかし当たり前のことが知られてなくて、あるいは無視、軽視された結果、教師の多忙などという問題があり、また解決しないのである。

①子どもが家に帰ってから、つまり放課後に行う。

これが、建前だ。これでできれば最も望ましいことである。ただし既に書いたように、その貴重な放課後は殆ど空いていないのだ。あっても週に2日、会議がないときの月曜と何も予定がこれまた入っていない金曜日である。あとで私のメモを元に実際の状況を述べそれを具体的に分析する。

＊付加の論　　放課後の時間――教頭としての私の留意、そして学校による差

放課後は、貴重な時間である。そこで私は教頭として在職した期間そこに行事を容れないように留意した。また先生方の負担・仕事を減らすことをいつも考えていた。もちろん定例の行事や決まっていた予定は変えられない。また、教頭というのは、校長の補助、よく輔弼などという難しい語が使われる、とその方針の実行が主な仕事で

ある。さらに、言うまでもないことだが、法令や規則にあることをしないことは許されない。だから私のしたことはその範囲内のわずかなことだ。

しかし、であっても以下のようなことはあった。

その一。私が教頭として赴任したある学校で。しばらく、ひと月前後経ってから、ある先生が言っていた。「おう……。去年より全然楽だ……」

その二。これは別の学校で。転任して来たある先生は言った。「この学校は放課後仕事ができて、ありがたい。前の学校は放課後仕事ができたのは年に一回だけだった。」

その三。私が転任したあと、ある先生が言っていた、という。「今年は何で、こんなにむちゃくちゃ忙しいんだ。」

こんな小さなことを何で書いたのか。それは学校が、また教員が、学校の多忙を問題として意識しその解決あるいは改善を考えれば、わずかでも、場合によればかなりのことができるのではないか、と言いたいからである。もちろんこれ、私の留意が引用した先生達の言葉通りに、いくらかでも効果を上げたのであれば、ということ。あとに述べるが、多忙は、それを学校の大問題、緊急・重大な問題と考えなければ改善は望めないのである。

そして付言。ならば教頭や校長が学校の多忙に取り組めばそれ解決するだろうか。

そのようにしたら、かなり違うだろう。しかし解決は、残念ながら無理である。学校の多忙は、そんな小さい問題ではない。それは以下を読んでいただければ了解いただけるであろう。

②空き時間に行う。

空き時間とは。担任している学級の授業のうち、他の教員がしてくれる授業の時間。例えば、高学年の音楽。だいたい子どもは音楽室へ行く。その時間担任は授業をしないので原則空いている。これを空き時間と言う。この時間は仕事に専念できる。子どもがいなくて、そのうえ授業中だから周囲は静か。誰も邪魔をする者はいない。即ち非常に貴重な時間である。ただ、原則授業の1時間分、45分だからすぐに経って、終わってしまう。やれやれなどとくつろいでいたら即終わりとなる。

空き時間に職員室へ用事で行くことがある。すると同じ空き時間の同僚が仕事をしている。ときには（必死に仕事をしていて）話しかけるのもはばかられる。

③休み時間（休息・休憩時間）給食の時間、掃除の時間などに行う。

休み時間というのは授業と授業の間の時間、休憩というのは昼休み（給食の時間をいれて1時間）とあとで書く退勤前に1時間弱置かれた休憩の時間。

休息の時間は、トイレ、お茶などの給水、教科書など教材の入れ替えなどをする。給食の時間はその準備の監督・指導また、教師自身も食べる。片づけも見届けなければいけない。残った時間、20分程度は、自分がトイレ・給水などをしたり、または休むかまたは子どもと遊んだり、観察したりする。本来、仕事は無理な時間である。しかし時間に追われ、どうしても、というときにはここで仕事をすることになる。たいしてできないが、でもする。「最近、子どもと遊ぶ先生が減った」などと言われる。しかし仕事をする時間がなければ、それが休み時間を浸食し、子どもと遊ぶ時間を取りにくくするのは当然である。

＊

付加の論　労働基準法　休憩時間　違法　勤務時間の延長

ここで一つ、私には奇怪に思える事実を書いておこう。それは学校における教員の休憩時間。労働基準法には労働者に休息と休憩を与えなければならない、とある。しかもそれは労働時間の途中に置かなければならないとも。これ当然である。ところで、教員の場合、子どもがいて指導・監督が必要な、給食の時間や、昼休みの時間は、休憩時間とは言い難い。しかし、であってもそれを置かないと違法になってしまう。それで、初めに考え出され、実行されていたのは、給食・昼休みを、実態を無視して教員の休憩時間とするやり方。

しかしそれはおかしい、ということで今度は勤務時間の終了前、原則子どもは下校している、に休憩時間を置くという日課が考え出された。この方式でいくと、休憩時間には何をしてもよいはずだから皆退勤していた。ところがこの方式だと勤務時間中には休憩時間はないことになる。

それで今度は勤務時間の終了前に休憩時間を置くが、その後に勤務時間をときには10分あるいは1時間程度容れることになった。それで、以前に比べると拘束の勤務時間が長くなってしまう。もちろん休憩時間には何をしても良いので自由に使える。学校の外に出て何かすることもできる。だがすることが多く時間に追われている多くの教員は休憩などしない。従ってこれは実質勤務時間の延長である。

こういう、言わばおかしなことが行われている、あるいは行われていたのは、背景に学校の多忙があるからだと私は考える。

しなければならないことが、勤務時間内にできなければ、時間外にするしかない。これも当然のことである。

④勤務時間が終わってから学校で行う

私の知人、もちろん教師は「勤務時間が終わると、ほっとする。これで仕事ができる、と思うから」と言っていた。私はそれほどではなかったが、理解でき共感する言葉であった。私がそう思わなかったのは、勤務時間などというものは問題にしていなかったから。それは朝、出勤時に遅れないようにと、意識するだけ。朝、家を出たら、勤務時間中はもちろん、勤務時間が終わっても、家に帰っても仕事から逃れられはしない。勤務時間などはあってもなくても同じであった。

勤務時間の終わりを意識するのは、用事でその終了後出かけるときだけだった。私の場合は、自分が医者に行くか、家族をそこへ連れて行くことが多かった。次に多かったのは病気見舞い、法事、通夜だった。ということはそれ以外のことはしなかった、つまりできなかった、ということ。

⑤家に持ち帰って行う

保育園に子どもを迎えに行くとか、前述の自分や家族が医者にかかっているとか、学校に残れないときにはこれしかない。これも、いわば当然のこと。家であっても仕事をしているのだから残業と同じだ。私が勤務時間を問題にしない理由の一つはこれだったと思う。

⑥休日に出勤して行う

①～⑤が全部できないときにはこうなる。これも言わば当然である。そして、休日に出勤してみると、仲間が必ずといってよいほどいる。ときには職員会議ができそうなほどいることもある。忙しいのは皆同じだからこういうこともまた必然である。当然というべきか若い教員が良く行う。「ほんとうに若い人は良く出勤していた。」(A氏)

⑦授業を自習にして行う

授業以外の仕事を授業中に、つまり授業は自習にしておいて、教室で、あるいは職員室で行う。これ、先ず、あってはならないことである。しかし、どうしても、というとき、時間が全くないときには仕方がない。でも、このやり方は、言わば禁じ手である。私はずっとそう考えてきたしそれは、今でも同じ。この項目自体が、最後に挿入した。

ある評判の良い先生について「でもあの先生は自習が多いんです。」と保護者が言っているのを聞いた。何故かそれ、記憶に残っている。また全然別なとき、ある教員が「（やりきれない）仕事は自習にしてするしかないのではないか」と困り切ったような顔で言ったこともあった。以上を思い起こして、この項を書いた。今この文章を書きながら、この方法を正規のものと考え、そして実行すべきであったのかもしれない、と思う。そうすれば、解決とまではいかないがかなりの程度多忙は緩和される。あるいは「解決」も可能かも知れない。しかし、そうすれば授業の密度の低下が、即ち子どもに向き合う教員の本当の仕事の質の低下が避けられないだろう。

また、そんな方法は一度始めたらとめどもなく進行するだろう。つまり自習は限りなく増えていくだろう。本書の主張「教員はこなしきれない仕事を課せられている」を考えると。そう考えると「自習にして仕事をする」は、やはり、禁じ手にしておき、正規の方法、手段でなく特例中の特例に留めて置くべきだ、と思う。

6　教師の一日と一週間――ある週の私の仕事

さて、教員の多忙、正しくは「授業以外の仕事をする時間がない」ことをさらに、具体的に示したい。それがどんなものかを私が担任であった最後の時期の、ある一週間を例にして説明する。ある一週間では分からない。そう思うかも知れない。しかし読み進めていただければそうでないことは、分かっていただけると考える。

①週案――ダイアグラム

以下に示すものは、私が学級担任のときに使用していた自作のプリント。一週間の予定を授業の予定を中心に記入する週案である。私はこれを自分でダイアグラムと呼んでいた。私的に作り使用していて一部残して置いたものである。つまり実物を見ている。Ｂ４のわら半紙に印刷してホッチキスでとめ記入しいつも持ち歩いていた。保存していたのは6年の二学期分、取り上げるのは11月第四週分である。主としてそこに書いてあった表とメモを使う。授業の内容は大部分省略した。

序でに。時間割通りに枠のある表の部分について。これは教員になりたての頃、ある学校で毎週提出させられていた、ものをまねたものである。その学校では期限までに提出できない、あるいはしない先生が多く過去帳などと言われていた。予定をあとから提出した、ということ。当然意味はなく廃止、あるいは変更となった。

②この表の説明

ア、教室の前にたいてい掲示してある日課表（時間表）と同じ。もちろん大きさが違う。私のは横長、掲示してあるのは大体縦長。

イ、この表は古い。なにしろ私が担任をしていた20年以上前のものである。当時は隔週の土曜に授業をしていた。しかしこれは説明の補助材料なのでこれで十分役立つ。

ウ、土曜日の授業は3時間。土曜日のあまったマスには、水曜と金曜6時間めの時間が入っている。

エ、0校時というのはもちろんない。その欄には、その日に行われる行事・仕事が印刷してある。また、私がその日に子どもに連絡しなければいけないこと、あるいは私がしなければならない、あるいは行う予定のこと、なども書いた。

オ、表の裏はメモ用紙になっていて私がなすべき仕事の一覧が上半分。中央の4列に線はないがＣｌａｓｓ（学級）、Ｓｃｈｏｏｌ・ｇｒａｄｅ（学級・学年）　ｐｅ

	0	1	2	3	4	5
月 2 2	朝会 職員会議 委員会	道徳	算数	国語	社会	音楽
火 2 3	学年会	理科	体育	算数	家庭	国語
水 2 4	クラブ 委員会	国語	算数	音楽	体育	社会
木 2 5	研修	算数	国語	図工	図工	体育
金 2 6	みんな	国語	算数	理科	理科	社会
土 2 7	一斉下校 (班長会議) 休業 土曜日	書き方	学級会	家庭	クラブ委員会	みんな

rsonal・what to buy（個人・要購入）という行がある。余白は自由メモ。この部分はあとで詳述する。

忙しいと言うのがどういうことかをさらに具体的、そして詳細に示すために、これを使ってある週の私の仕事を再現しようということ。

先ず、この表をみて直ちに分かることがある。それは繰り返すが「授業以外の仕事をする時間がない」ということ。これは重要なこと、再度確認いただきたい。今は、教員には授業以外にもすべきことがたくさんあることは知られている。なのに、それをする時間は、殆どと言って良いほどないのだ。

③各曜日の0欄に書いてあったこと。そしてその説明

月曜日　ア、0欄　この日には珍しく職員会議も、別の会議もなく私がする予定の仕事が書いてあった。このように、すべきことを決めておかないと、あたふたしているうちに時間がたってしまい、貴重な時間が何もしないで終わってしまう。

イ、特殊教室の整備

既述のように私が担当として管理しなければいけない教室が幾つかあった。先ず、社会科主任として社会資料室、と資料制作室。それらは私が管理責任者であり掃除も担当していた。この学校では子どもが常在する○年○組のような教室以外の教室を特殊教室と呼んでいた。特別教室という学校もあった。

ところで、子どもが常在していないこのような部屋は大体、どこの学校でも掃除が不能なほど乱雑である。理由はもちろん忙しくて手が回らないから。できないことをする義務はない。ただし、条件が同じなのに、家庭科準備室や図工準備室はどこの学校でも比較的よく整理されていた。もちろんひどい学校もあった。私は、この資料室の不潔と乱雑は嫌でたまらなかった。これは誰でもそうなのだが、なにしろ整理の時間が取れないのだ。ある程度片づかないと子どもに掃除もさせられない。このままではたまにしか使わないとは言っても、不便そして不快である。それで私としては整備の機会を狙っていた。そして機会到来とメモしたのであった。そうでもしないとする時間は見つけられないのだ。裏の自由メモには、その際に持って行く物が書いてあった。釘・トンカチ・フック・ラベル・はさみ……と。

ウ、特殊教室の整備―2

なお、社会科関係以外にも私が管理、したがって掃除もしなければいけない部屋には放送室、小会議室などがあった。もちろん掃除は子どもがやってくれる。しかしやり方は私が指示しなければならない。もちろん点検も。これらの管理も、そのために使えるのは、たとえ放課後が空いていても、子どもが帰ったあとの1時間強、それだけするとしても、である。それ故1日では1部屋も十分にはできない。そして、これ自分の教室以外に管理する所なのだ。自分のクラスの整備は、言わば絶対的にしなければならない。良い学級の良い子ども達ならかなりやってくれる。しかし教員がしなければならないことは多い。そして、自学級のことをする時間もまた今まで述べたわずかな時間しかないのである。

火曜日ア、0欄、

火曜日は既述のように学年会がある。ところが、この日は11月23日で、勤労感謝の日、休みであった。

水曜日ア、0欄

この日はクラブ活動に◯がついていて、行ったのであろう。繰り返すがクラブ活動は6・7時間の2時間行われる。子どもを帰し、後片づけをすると4時前後となり当時勤務時間4時30分までは少しの時間しかなかった。

私は将棋クラブというクラブの担当で、クラブのうちでは楽な方だった。

イ、私の担当の委員会

私がこの年度担当したのは、放送関係の仕事をする放送委員会だった。他の年度には校内で飼っている動物の世話をする飼育委員会、校内の植物の世話をする栽培（学校園）委員会その他いろいろ経験した。

木曜日ア、0欄

この日には、いつものことだが研修日としか書いてない。それは、仕事がないからではない。事実は逆。この年度研修主任（委員長）だった私にはすべき事がありすぎて、この欄では間に合わず別のノートに仕事を書いていたのである。

イ、ところで、ここには球技大会とある。つまり、球技大会、我々の学校だけでなく同じ地区の4小学校が参加する大きな行事がこの日にはあったのである。ただ参加するのは5・6年だけ。このことは実は極めて異例なのである。それを説明すると他の曜日とのバランスが悪くなるので別途説明する。

金曜日ア、0欄

この金曜日は、定例の行事が唯一はいっていない曜日である。ところがこの日には小中連絡会という行事がはいっていた。

イ、小中連絡会とは、

我々の小学校から卒業した子どもが入学する中学校から先生を迎えて、卒業予定の6年生について必要な連絡を行う会議である。留意点、注意点などを中心に我々小学校側が、ときには資料も用意して説明する。

ウ、ところで、私ははるか以前に予定されていた、この連絡会を週案を作るときに失念していた。そして担当の放送委員会を臨時に行うつもりでいた。それはそれが、仕事をきちんとできていなかったから。しかしその後気が付いて訂正した。

④週案・ダイアグラムを見てわかること

以上のように、この週の放課後は月曜以外は空いていないで全部することがあり、ふさがっていた。沢山ある仕事、それを行える日は、この週には一日しかなかったのだ。じつはこれは例外でなくこういう週の方が多いのである。一日も空いてない週がほとんど、という感じであった。

⑤研修日＝木曜日の行事・球技大会　異例そしてその理由

さて木曜日の行事が異例の理由。先ず、それには研修という仕事の比重の大きさ。これは一般の教員にとってでなく、管理職、教育委員会の関係者など、言わば要路の人にとってのことだが。例えば、教員の履歴では研修歴、どこでどんな研修をしたかということが何かの際、例えば管理職登用試験には必ず問われる。また、それが週に一日設定されているということ自体その重さ大きさを示している。

我々の仕事、教職にあって研修＝勉強が必要なことは誰もが感じ、また認めること。だが普通の教員は、実際のところ、目の前のどうしてもしなければならないことにいつも追われ、それどころではない。要路の人にとって、と書いたのはそれ故である。私たち一般の教員には、ときには実情を無視して研修を押しつけられ、仕事ができなくて嫌になる、そういうことがよくある。こういう研修のあり方も多忙の一つの原因。それ故にこのことにはあとでまた触れる。

とにかく木曜日は、全市で、だけでなく私の知る限り全県で研修日とされ、その日には研修以外の行事は組めないことになっていた。決まりがあったかどうか記憶してないがそれが常識であった。

なのに、全市的行事が木曜に実施される。これは例のないことであり、私も記憶にない。

何故そんなことになったか。考えられる理由はただ一つ。この日以外に日が取れなかったからであろう。学校に仕事が詰まっていることの実例と私は思う。実施に当たっては、主催者が、校長初め各方面への根回しに骨折ったことが推察される。

⑥表の裏のメモ　そのまま写し解説する

裏のメモにはしなければならない仕事のうち、する日が特定されていないものが列挙してある。日の決まったものは表の曜日に書く。仕事、多種類の、おおがかりなものから、こまごましたものまで沢山ある。先ず、これを具体的に分かっていただきたい。それで種別に書き出しておく。忘れないためと、整理し順序を決めるためだ。そのようにしないと私は手の着けようがなかった。つまり、すべきことのメモはこちらがメイン。実物は、前述のように横長、従って書いてあることは同じだが形は全く同じではない。

○Ｃｌａｓｓ（学級）　○Ｓｃｈｏｏｌ・ｇｒａｄｅ（学級・学年）

図工作品評価
書写ノート点検
伝記の始末
個人面談準備
テスト
作文読み
H（不登校の子ども）に
1000　S氏に
300　はちまき代、Kからもらい

研修委員会　指定の是非　締め切り12：22
25日にすること
積立金署名　校長
卒業式基本方針
球技大会チーム名簿　持って歩け
音楽会ビデオ
人事調書
委員会招集
卒業文集　ページ割り振り
学年のページ
私の文

○personal・what to buy（個人・要購入）。

（この欄、この週は空白。そうなったのは、これらを考える必要がなかったか、あるいはメモする余裕がなかったことが考えられる）

項目外のメモのうち、言及するものを挙げておこう。

○資料制作室　　　　　　　○放送室・小会議室　　　　　○社会資料室

くぎ・とんかち・ひも　　　　　　　　　　　　　　　　ものかけづくり

本の整理&捨て　　　　　　　　　　　　　　　　　　　分類ラベル・はさみ

ごみ捨て

不要物選び、捨て

○ＮＯＶＡ

⑦以上⑥のメモ部分全般の説明

ア、見れば分かるように、すべきこと＝仕事を種類別に書いたもの。英語が題目に使ってあるのは漢字より早く書けるから。なにしろ時間が大切。時間のためにはできることは何でもする。メモも英語でしたこともある。早く書けるからである。（私は英検準1級（退職後合格）ながらきちんと勉強していないから英語は怪しげなもので書いた当人もあとで見てわからないこともあった。）

イ、この表・メモは忙しいのに自分で仕事を増やしている、そう思われるかもしれない。しかし、これは忙しさに対処する私の手段なのだ。それは、これも既に書いたが、すべき事が整理でき、優先順位が決められるからである。ただ教員の多忙はこれで解決できるようなしろものではない。

ウ、◯　NOVAについて。

この年、英会話を習おうと、手続きをしてウン十万円を払い込んだ。しかし忙しくて、ほとんど行けなかった。お金は全部無駄になった。6年を担任して、何かを習おうなどというのは分かり切った間違い。もったいない。馬鹿なことをした。

⑧◯Class（学級）の項目の説明

ア、図工作品の評価

評価という仕事について既に説明した。このころ図工で木工をしていてそしてそれが一応終わっていた。作品を見て、評価をしなければならない。そこで、一つ一つ製作者を確認し、取り組んでいた姿を思い浮かべながらノートに出来栄え、その他を書き込んでいく。ここでは留意いただきたいことを二つ書いておこう。

その一。掛ける時間。名簿を用意して、作品を一目見てA～Eあるいは5～1と判定を記入する。それで終わり。できるだけ急いで速くすることを心がける。すると10分でできるかも知れない。だが、私はこと評価についてはそういう能率は求めない。時間は度外視にちかい。忙しく、いつも何かに追われているのに。何故か。評価は教師の仕事中の仕事、掛け値なしの本当の仕事だから。

それで作品はじっくりと見る。そして出来栄えはもちろん、それ以外に作品の語るもの示すものを逃がさず捉えようと努める。もちろん自分のしたことも思い返す。そこで発見したこと、あるいは考えたことは指導のため、あとのためノートしておく。ただし当然のことだが、目の前になすべき緊急のことがあるとき、評価という仕事はできない。余儀なくしたとしても能率第一で「はやくに」するしかない。それは私も同じである。そして必須の仕事・評価もそれをする時間は保証されていないのだ。

その二。木工作品の評価という仕事は、学校でないとできない、ということ。たとえ自動車でも家に持ち帰るというのは、したことはないが、おそらくできないだろう。それ、学校で、教室でするしかないのだ。教員の仕事にはこのように学校でしかできないことが多くあることを記憶願いたい。

イ、書写ノートの点検　　作文読み　　テスト

これらは図工の作品評価とほぼ同じなので略す。本当は書かせたらあるいは、させ

たら直ちに点検して、返すのが正しい。なかなかそうできなくて、だいたい書写ノート・作文は慢性的に未見で残っている。テストも油断するとすぐにそうなる。

ウ、伝記の始末

私は、自分のお金で子ども用の伝記セットをかなり前に買って読ませようと教室に置いていた。それが古くなり、また、あまり読まれないので捨てようとメモったと思う。

エ、個人面談の準備

先ず、個人面談とは。これも比重の高い行事であり仕事である。担任の教師が、放課後、教室で、受け持った子どもの保護者と、もちろん子どもについて個別に話し合う。全員なので一人あたりの時間は、だいたい長くて15分程度だ。授業を午前中で終わりにして行うが、それでも一日10人程度しかできない。途中教員は休憩しないと疲れたり、眠くなったりする。

これについて、準備は明らかに必要である。先ず、保護者の来校する順番と時刻を決めておかなくてはいけない。教師が順番を決めて印刷して通知する。保護者が都合が付かない場合には入れ替える。これを認めないという教師の存在もあり得るが私は認めた。時間がかかることが予見できる人は最後にするなどの配慮も必要である。私は話すことをこれまたメモしておいた。そのようにしないと重要なことを言い忘れる。

オ、H（不登校の子ども）へ

これは何でもないようだが、実は我がクラスの、また私にも，当のH君にもまた彼の家庭にとっても大問題であった。

H君は、5年の5月から学校に来なくなっていた。いわゆる不登校である。彼は結局卒業式まで登校しなかった。ただ、6年の夏休みに、「私とマンツーマンで水泳をやろう」と言ったら一日だけ来た。もう一日、6年の3月卒業式後、彼のために特別に卒業式を校長室でした、そのときには登校した。

さて、このとき11月まで、というか彼が不登校になって以来、登校させようといろいろなことをしてきた。初め、私が朝迎えに行った。しかし家から出て来ない。ご家族が言ったり、引っ張ったりしてもだめ。子ども達も、近くの子が行ったり、比較的仲のよい子が行ったりしたがだめ。もちろん私が何回となく家庭にも行った。保護者に学校に来てもらって話し合いもした。管理職にも話し、相談にものってもらった。教委にも相談した。しかし、何をしても登校しなかった。そういう状態でここまできてしまっていた。彼については語るべきことが数多あるがここでは当然必要なことだけにする。

H君の家庭。子どもが学校に行かないのだ。ご両親初めご家族の苦悩は大きい。

子どもの成長は阻害され、進歩できず、進学も、したがって就職も不可能。社会へも出られない。お先真っ暗とも言うべき状態。

さて担任である私はどんなだったろうか。毎朝学級で出席を取る。その度に、主のいない彼の机を見る。多分私の表情は変わり、唇を咬んだり、うなだれたりした。それは子どもたちも同じである。同じように不登校の子どものいたクラスでは、おそらくこのときであろう、担任が泣き崩れ、多くの子どもたちも一緒に泣いたと言う。これ不登校の子どもがいた多くの学級で数限りなくあったであろう情景である。私は、いつも一瞬泥沼に引き込まれたような気になった。しかし、気を取り直して無理矢理平常に自分を戻すのだった。これを毎日繰り返さなければならない。

私からはいつも彼のことが頭から離れない。彼の、またご家族の苦しみが分かるからなおのこと。何に付けても彼をどうしようか、と考える。何かに集中しているときには忘れているのだが、一人で、とくに学級の仕事を始めると必ずというくらい彼のことを思い出す。そして考え込む。彼は私の中に常に存在する。重く、そして暗くある。

既述のように、折りをみて家庭訪問をする。心配する管理職に呼び出されることもある。不登校関係の本を買って読む。なにかヒントだけでも見つけたいのだ。テレビで参考になりそうな番組があれば、録画もする。こういうことをしている時間は学校ではない。本もテレビも見るのは家だ。必死というにちかい。彼の比重は私には高かった。

カ、1000―S氏に　300―はちまき代　Kからもらい

これは、単なるメモ。いろいろなのが混じっていて恐縮ながらこれが教師の実態なのである。

1000は千円で私のクラスの分を同僚S氏に立て替えてもらった。つまり借金のメモ。忘れないように書いた。忙しいのですぐに忘れてしまうから。

300も三百円である。私は、個人で子ども用のはちまきを人数分買い、使っていた。学校にもあるが借りたり返したり面倒で時間がかかるから。一度買えば何年も使える。ところがそれをK君が切ってしまった。寿命だったのであろう。そしたらK君の親が弁償すると言って、私が不要と言ったのに、三百円を持たせてきた。それで、これも忘れないようにとメモった。

お金のこと、というのはご存知のように特別な比重がある。たとえ少額でもきちんとしないといけない。借りたことや受け取ったことを忘れると厄介なことになる。そのためのメモである。

⑨〇School・grade（学級・学年）の項目の説明

ア、研修委員会

研修委員会は、既述のごとく、比重の高い学校の研修総ての立案をし実行を仕切る。もちろん校長の指示を受けてである。私はこの年、その責任者、主任であった。

このときの研修に関しての大きな問題は、市の研究指定を受けるかどうかであった。研究指定というのは市の教育委員会から指定を受けて研究を行う。この指定というのは期間が原則一年である。すると予算がつくなど研究にいろいろ便宜が受けられる。ただし成果は発表し、また予算の使い道ともども報告しなければならない。しかし、忙しい学校に重い仕事を増やすとも言えること、簡単に諾否は決められない。校長が決定するに際しては職員がどう受け止めているかは大きな要素である。さてそれの教委への返答期限が12月22日とある。それまでに学校の意志を決めなければならない。最終的には学校長が決定する。その前段階として研修委員会の意向を確定しなければならない。それが決まったら、だいたいは、職員会議で了承され、職員の意志、そして学校長・学校の意志となる。その委員会の原案は責任者である私が作らなければならない。言うまでもなくこれは大きく重い仕事だ。これがこのメモの内実である。

・25日にすること、について。

この週の研修は年間計画ではブロック研修ということになっていた。ブロックというのは1~6年を、1・2年を低学年ブロック、3・4年を中学年ブロック、5・6年を高学年ブロックという単位にしたそれぞれを言う。この分け方は理に叶っている。少人数で話し合いもやりやすい。ブロック研修は、このブロックでそれぞれ研修を行うということ。しかしそこで何をするかを研修委員会が指示していた。これも原案を私が作らないといけない。案が、することが決まっていないとブロックは宙ぶらりん状態となり、時間が空費されてしまう。

このとき、高学年ブロックには研修は無理であった。既述のように市内球技大会で高学年は午後他校に遠征するのである。帰って来るのは通例4時前後。研修を行わないのは仕方がない。

低中学年ブロックのすべきことのメモもあったが略す。各ブロックも、また責任者である私も、研修関係だけでもすべきことはいくらもある。

イ、積立金　　署名　　校長

6年というのは5年までと異なり、お金がかかる。先ず修学旅行がそれまでの遠足とは桁のちがうお金が必要。さらに6年だけにある、卒業アルバムの費用、卒業記念品にかかる金、卒業を祝う会という公式行事にもお金がかかる。なので、5年または

6年の初めから積み立てをする。毎月担任が集金して貯金をしておく。ところで子どもの預金は学校長名で行われる。それで何かあると校長から校印を借りなければならない。このとき何か積み立て関係の用事があったのであろう。

ウ、卒業式基本方針

6年の最大の行事卒業式。この原案は6年が提案する。少なくてもこのときはそうだった。この仕事も学年主任でもある私が仕切らなければならない。昨年の原案を手直しするのだが、それでも一応理解し、問題点は修正しなければならない。一月に提案なので基本方針くらいは決めておかないといけない。早すぎるのは罪ではないが遅すぎると結果は重大である。

エ、球技大会チーム名簿　　持って歩け

これはァ～ゥまでとは異種のメモ。球技大会のときに自分のクラスのチーム名簿を持って行き、いつでも見られるようにしておく、という意味だと思われる。学年の箇所にあるので学年のそれを指していたのかも知れない。比重は軽く個人的なこと。

オ、音楽会のビデオ　　委員会招集

その頃やはり大きな行事で校内音楽会というのがあり、そのビデオを放送委員会が校内放送することになっていた。子どもの委員が自主的にやってくれればよいのだが、テープの編集は私がしなければならず、いつどうするかは指導者私の関与が必要。それには時間を見つけて委員会を臨時に招集しなければいけない。そのこと。

カ、人事調書

先ず、これは何か。これは校長に提出する人事異動に関する個人のデータがつまった文書。人事全般の基礎資料である。そこには私の、履歴・現状そして人事上の希望などを記入する。事務職員に聞いたり、前年のものなど資料を見ないと書けない項目も多い。校長はこれを基に学校としての人事の構想をまとめ市教委に提出する。市教委は同じく各校長から出された資料を基に市としての計画・案を作り上部の機関に提出する。一番上は県の教育委員会であってこれが全県の教員の配置・移動を決定する。

以上の説明から明らかであるが、校長は教員全員が書類、人事調書を出さないと仕事にならない。上部の市教委。県教委も下部の資料がないと仕事にならないのは同じだ。これで教員が書かされる文書の性質がよく分かる。この書類は子どもに関わるものではない。しかし、当然のことながら、提出しないということは許されないし、あり得ない。また期限に遅れることもしてはならない。自分が不利益になる以上に校長初め上部機関に迷惑がかかるからである。教員の配置、またそれに必要な移動は学校、各教委、さらには教員個々にとって大問題である。何があろうと期日までに絶対出さなければいけない。

ところで、ある教員が何らかの理由で前の日にできていない、あるいは当日になっても完成していないという事態になったらどうするか。一刻もはやく行うしかない。前日なら徹夜してでも。当日なら他の仕事は何もしないで。そして完成させ提出する。このこと、繰り返すがあらゆる文書、要提出書類の本質的な性質である。それは授業や子どもに優先する。時間のないなかで、子どものための仕事もまたたくさん抱えながら、文書や報告に追われているのが教師なのである。

キ、卒業文集づくり

卒業記念アルバムなどとも言う。内容は写真と作文・文章である。卒業してから作成はできないから、卒業までの期間に作る。今は専門の業者に、もちろんお金を払って作ってもらう。しかし原稿は渡さなければならない。一生残るということで、ある程度以上のレベルの原稿を渡さなければならない。業者に渡す期限はだいたい12月である。子どもには作文を書かせ、教師達も文章を書く。載せる写真を撮影し、また選び、編集する。子どもに作文を書かせるのはもちろん、編集の手順、計画、執筆の依頼などを6年の担任がしなければならない。その中心は学年主任である私である。これ当然11月にはかなりの程度できていないといけない。12月は期末で仕事が増え、通信簿も作らなければいけない。文集関係の仕事は、メモには載せきれない。忘れないように主要な仕事だけ書いてある、ということ。

序でに補論。卒業文集は不要の仕事である、と私は思う。しかしそれをしない、つまり廃止するというのは簡単にできることではない。

＊「雑用・雑務」という言葉、そもそも教員の本当の仕事は何か

「雑用。雑務」はとくに学校でまた教員によく使われる言葉だ。あとに引用する新聞の記事にもある。しかし正式な用語ではない。使っている人もきちんと定義して使っているわけではない。
辞典、広辞苑には次のように出ている。
雑務　（本来の仕事以外の）細々した雑多の仕事
雑用　種種雑多の用事・用途
教員の場合、それは授業を初め子どもに直接向かい合う仕事以外の仕事という意味で使われる。そして、「本来の仕事でない仕事」という言外の意味が内包されている。それで教員の本来の、本当の仕事とは何か、を考える必要がある。それではるか昔、

たしか組合・日教組の文書で見た定義を紹介する。

本当の仕事　　授業　　授業の準備・整理　　生活指導

雑用・雑務　　右記以外の総ての仕事

生活指導というのは今は生徒指導と言っている分野。学習以外のつまり行動の指導。しつけとか生活習慣の指導などでいじめの防止あるいは対処などもはいる。

序でに。生徒指導というのは、おかしな言葉である。教育は子ども＝児童・生徒を対象に行われる。生徒は中学生を、児童が小学生を指す、と良く言われる。すると生徒指導は中学生指導になってしまう。行動の指導なら以前に使われていた生活指導の方がベターではないか。生徒指導という用語は〝教育界に常識が通用しない〟一つの例だと思う。

本題にもどろう。学校において雑用・雑務の定義をするとしたら、右記日教組の定義以外にない。そうにしないと、雑用・雑務は存在しなくなってしまう。

以前ある校長が言っていた。「学校に雑用はありません。していることは皆大事な仕事なのです。」これが、管理職のかなりの人の、いわば標準的な言い方だ。これだと雑用・雑務はないということ。

授業が本来の仕事であることは誰も異論がないであろう。それでは、放課後に、遅れた子どもを指導することはどちらか。右記定義では雑用になる可能性がある。しかし教員の多数はそれを雑用とは捉えない。そして私はこれらに示される教員の、雑用・雑務の使用法とその底にある感覚はまともで正しいと考える。

⑩仕事、何から始め、またどのように行うか、そしてジレンマ

以上、当時の私の、「授業以外」の仕事である。先ず、明らかなことは沢山あるということ、それも、授業をしている身には、恐ろしいというほど、時間と手間がかかるものがある、というか、多くがそうだ。また繰り返そう。それをする時間は勤務時間内では月・金曜日の、それも放課後だけだ。

いっぺんに二つのことはできないので第一に順序をつけて、優先順位の高いものからする。実は私のメモはそれを決めるための資料でもある。その判断基準は以下である。これは教員はもちろん誰でも同じであろう。

1，金銭関係の処理・手続き。

2，期限・時間の迫った書類・事務。

3，子ども・上司・同僚・保護者に関わり、私がしないとそれらの人が困ったり、迷惑したりすること。

さてこの基準でいくと、最初にしなければならなかったのは簡単、あるいは小さいことながら、S氏に1000円を返すことだ。つぎは「積立金署名」である。簡単とは言え時間もかかるし手間も必要だ。借金を踏み倒したら、忘れていて悪意がなくても当然社会人失格となる。

＊補強の論　教員のジレンマ

さてここで教員がいつも抱えているジレンマについて述べよう。それは教員最大の仕事、授業に関連する教材研究などの仕事、また直接子どもに関わる仕事と、今まで、書いたそれ以外の「仕事」、代表は要提出の書類の、どちらを優先するかという板挟みのこと。

授業は既述の如く難しい仕事である。そのうえにピンからキリまである。レベルは一般に準備の量と質に比例する。その質は子どもにとっても教員にとっても死活問題とも言うべき比重がある。

しかし、同時に二つのことはできない教師は、授業の準備か、書類か、今の場合なら、金銭関係の処理、あるいは人事の調書かという種の選択を常に迫られている。先ず、このことを銘記いただきたい。解決は？　考えていただきたい。ご自分ならどうするかを。建前は子ども優先。しかし実際は？　後者を優先するしかない。期限の決まった書類を自分だけ出さないことはできない。

他方、授業の準備は、また遅れた子どもの個人指導は、しなくても誰も文句は言わない。それ、義務ではない。また、しなくても誰にも分からない。これもよく覚えておいてほしいこと。これ二種の仕事の特徴なのである。私だけでなく、教員は皆何としても子どもに向き合った仕事をしたいと思う。しかしそれ以外の「仕事」が山積し、思うに任せない。子どもと毎日顔を合わせている身には切ない。３６５日この状態。ノイローゼにも神経症にもなろうというものだ。

本論にもどる。次に私のしなければならないこと、それは木曜日の研修日に行うことについての原案を考えることだ。私は研修主任であるし、ことは全校に関わる。既述のように高学年は市内球技大会で研修は無理だった。「他の学年も、高学年にならい研修は行わない」ができれば一番良い。しかし、こと研修についてはそうはいかないのはこれも書いた通り。で、案を考え印刷して配布する。または連絡する。

三番に行うこと。それは金曜日にある小中連絡会の準備。これは最悪、当日になってからでも、中学校の先生が来てからでも何とかなる。実際に忘れていて、あるいは時間がなくてそうしたことも、あるいはこちらが出かけてそうされたこともあった。しかし、それを避けるためのメモなのだ。

四番。それは◯Ｓｃｈｏｏｌ・ｇｒａｄｅ（学級・学年）の項目の人事調書であろう。既述のように締め切りが近づいたら授業に優先することだ。

以下は略。要するに授業に優先する、あるいはそれを要求する「仕事」が目白押しだ、ということ。

7　教師の一日と一週間をもとにいくつかの問題を考える

①　教材研究をする時間がない、どうするか

さて授業の準備、教材研究の時間がないことは、1の「教師の一日――ある週の私」で十分に示された。もちろん必要最小限の準備はしないと授業ができない。それはどんなかたちにせよ行う。たとえ授業が始まってからであっても。

私は前述のごとく学期初めに、教科書と年間計画は読んでおく。また喫茶店で週案を作成する。それで一応は、教材研究や準備で最小限のそれはしてある、とも言える。しかし、喫茶店で時間外に教材研究をする義務は、教員に、でなくても誰にもない。それで仕事をする時間がないときのことは既に述べたことながら、ことを教材研究にしぼって述べよう。

ア、教材研究なしで授業をする

これは言わば「ぶっつけ本番」で授業をすること。どんなことでも時間がなければできない。またする義務もない。教員が授業をしない、ということはできない。そして準備の時間が取れない。なら、これしか方法はないのだ。公式にはこういう教師は

いないことになっている。しかし実際には多くいる。理由は今まで詳細に書いた。既述のように「私は、教材研究はしない。」という教員に私自身何人も会っている。そんな中の一人は「子どもと一緒に新しい世界に入れて新鮮だ」といっていた。私も週案ができず「ぶっつけ本番」をしたことが、ごく稀だがある。

イ、睡眠時間を削って行う

授業に優先する仕事が数多あり、行う時間がなかったら、何かを削ってするより外にない。そして最後に削れるのは睡眠時間だけだ。もともと教材研究は寝る前にしたが。睡眠時間を削って教科書などを広げていると「こういうことをしていると体をこわす」と思う。実際に体をこわした人はいる。なかには過労死や突然死の人も。

私はそんなとき、おそらく標準的な考えだろうが以下のように考え対処した。授業に準備・教材研究は必要である。行うべく最大限努力すべきである。しかし、体をこわしてまですべきではない。自分のものとは言え、体、命は天から与えられたもの、これまた尊重すべきである。自分のためにも、家族のためにも。それで、これ以上は危ない、と思ったら何があろうと止める。そして寝る。それは教材研究であっても、提出書類でも同じ。（ただし、そういうことがないようにメモなどしてあるから、放っておいて寝るということはほとんどなかった。もちろん絶無と言うことではない。）

そもそも倒れた場合、だいたいは入院となる。このこと、担任している子どもに、また職場に、さらに同僚に大きな迷惑をかける。繰り返すが学校は、また教員は超多忙なのだ。すなわち教員は倒れることもしてはならないできない存在である。自分のためだけでなく、学校と同僚のために。

②どこで仕事をするか――No残業DAy

どこで仕事をするか、とは奇妙な題目だ。仕事は職場、学校でするに決まっている。しかし勤務時間内で仕事が片付かないときに、仕事をしようと残っていると「遅いから帰ってくれ」と学校から追い出される、そんなことがある。それは学校の鍵締めに関わる。最後に退勤する職員は鍵を掛けなければならない。しかし普通の職員は鍵を持っていない。それで鍵を締める教員、だいたいは教頭に追い出される。私は、よく3階とか4階で仕事をしていて、担当者に鍵を閉めて退勤されてしまい、2階から飛び降りて帰った。私以外にもそういう人はいた。仕事は学校ですべきである。そして多くの仕事は、例えば木工作品の評価のように学校でしかできない。事務的な仕事も例えば人事の調書のように資料が必要で学校でないと難しい。根本的な問題はすることが多すぎることにある。

一般の企業の猿まねでNo残業DAyなどということをしている学校もあると言う。しかしこれは病気と症状を取り違えている。問題はすることが多すぎることにあるのだ。そして仕事は当然だが学校でやるようにできている。あるいは学校でしかできない。残業はその結果である。すること＝仕事を減らさないで残業だけ禁止したらどうなるか。教員は困るだけ。そんなことは実行できない。すぐ消滅するに決まっている。

こんなとき、教員は仕事のうち何を減らすだろうか。するのは、どうしてもしなければならないこと、提出書類からするだろう。もともとする時間がない教材研究は捨てられる。こうして授業の質は落ちるばかりだ。

また、どうしてもしなければならなくて学校でできなければ家に持ち帰ってするのは当然のこと。これは既に書いた。良く成績や名簿の入っているパソコンのデータをなくしたり、鞄ごと盗まれたりする教師がいるのはそれ故だ。

＊「教員は休みが多い。夏休みがある。」しかし休みには仕事はできない。

多忙を口にするとよく言われること。それでこれを整理しておきたい。

初めに書いたように、教員の多忙は子どものいる通常の時期でのこと。子どもの登校していない夏休みには存在しない。つまり、私が論じている多忙と直接関係ない。ただし夏休みなどの子どもが登校しない長期休業中は、教員の勤務状態、即ち仕事の密度、強度？ が薄いあるいは弱いと思われている。これ、外部の人が思うほどではないが、ある程度事実である。

そこで以下、日常の多忙と夏休みなどの長期休業との関係を論じたい。

第一。休み。普通に言われる春休み、夏休み、冬休み。これらは子どもの休みであって教員の休みではない。教員は原則出勤なのである。休みには教員も休んでいる、と思っている人が前はいた。また以前にはそれにちかいような実態も、ときにはあった。しかし今は「原則出勤」が厳しく実行されている。これは給料をもらっているので当然である。

ただし、出勤であっても子どもが学校へ来ない日は、参加が義務の各種の研修＝勉強、会議初め普段できない仕事を行うものの、子どもの来る日・課業日に比べて肉体的には楽である。課業日に比べれば研究や勉強もできる。できる、と言っても家ででであるが。学校で読書や勉強ができないのは休みでも同じ。それでも、いつもこうだったら、つまり家で良いから本が読めたらとつくづく思う。

第二。「休み」は多忙の解消に殆どあるいは全く役立たない。それは主要な仕事なのに行う時間のない授業の準備、教材研究ができない、正しくはしても意味が殆どないからである。

これは、誰にでも分かること。授業の準備において事務的なものはその直前でないとできない。以前に例として使った図画工作の絵の授業を考えよう。必要な物、たとえば、絵の具・画用紙の準備。直前でなければしても仕方ないのである。夏休みにしておける？。出して置いても邪魔になるだけ。他の教科でも同じ。さらに、そのような準備は毎日変わったものが必要なのだ。もちろん教育計画の確認など準備でできることはあるし、行う。

休みでの教材研究が意味のない主要な理由。これは実際に授業をしている教員でないと理解が難しいことである。それは、教える計画、教材研究が新鮮でないと、いわば生きていないと全くというほど役にたたないということ。何故かは不明。今度は国語を例にしよう。まず教材・指導書を読む。必要なら辞典初め資料にも当たる。一応の授業のイメージができる。そしてここが肝腎。それが使えるのはその直後だけである。成果をノートに書いても、事情はあまり変わらない。時間が経つに連れそのときの生きた内容は失われる。もちろん何もしないよりはずっと良いことは確かだが。授業に使えるのは教材研究で獲得した感情や思い、イメージなどが生きているうちなのだ。それらが失われると、ノートに書いてある内容は、ミイラみたいなものと化してしまう。生きた内容を戻すには前と同じに時間がいる。即ち教材研究は基本として貯金ができないのである。これが「夏休み」が教員の多忙の解消に余り関係ない主要な理由だ。もし教材研究が貯金できるなら、そもそもそれはする必要がなくなるだろう。大学で、また免許取得に際してかなり勉強しているのだから。

文書などの子どもに直接関係ない仕事も事情は同じ。命令される前から、あるいは該当の文書がこないうちからできるわけがない。一つ典型例。学期末に子どもに渡す通信簿。これ授業をする前に作ることはできない。以上、休みには、通例たまっていた、あるいはできなかった、というものの処理ができれば良い方である。

それにしても、子どもの登校しない夏休みには教員も期待する。私もそうであった。ふだんできないことをしようと。そしてその終わりには、殆ど何もできなくてがっかりする。これを性懲りもなく定年まで繰り返したのだった。

何故そうなるのか。ふだん、学校で遅くまで残って仕事をする。あるいは家にまで仕事を持ち帰る、という生活を送っているのは書いた通り。それ故家事育児ですべきことがたまっていてそれを片づけなければならない。先ず家の清掃、整理。ふだんしてない、あるいは手抜きなので時間も手間もかかる。私の家は長年それ、掃除をしない、あるいは手抜き掃除でごまかす、を繰り返した結果復元不能な汚れや傷みが各所に。リフォームあるいは建て直しが必要であろう。関連してこんなことがあった。母が存命のはるか昔のこと。彼女は先輩に頼まれて、その家に手伝いに行った。先輩の家では息子夫婦が共稼ぎの教員であった。母は手伝いを終わって帰って来て言った。「家のあちこちのあまりの汚さにびっくりした。」と。私の家よりも、行った先の家はさらにひどかったのであろう。上には上があったのだ。下には下、とでも言うべきか。これはあり得ることなのだ。

次いで。いつもしていたのは父の墓参りと親戚への挨拶。ふだん取れない休暇を取って行った。これは旅行なので、序でに家庭サービスも。ふだんあまり、ときには全くしていないから、こういうときに、となる。もちろん子どもは夏休みでも教員は原則出勤、そんなに長い期間休めない。

三つ目。ふだん張りつめた，昼夜兼行のような生活をしていて疲れが出るのだろうか、体も精神も力が抜けてしまい動けなくなってしまう。病気あるいはそれに近い状態になることもある。貴重な時期に、と情けなくなるが、そのときはどうしようもない。

もちろん、夏休みの全期間がそう、というわけではない。しかしそんなこんなのうちに夏休みは終わり、また戦争状態が始まる。これが私の、多分多くの教員の夏休みである。

8　教員が忙がし過ぎることの結果

学校で教員がすべきことが多く、多忙であることを今まで述べてきた。その結果がどうなるか、ということをここで整理した。もちろん今までも部分的には何回も触れてきた。それにしても、教師の多忙が理解されていないのと同じくその結果もまた理解されていないと、私は思うから。それで、「先生も忙しい。」とか「教員もなかなか大変だ。」などという暢気な一般論で終わってしまう。

①子どもに直接向き合う仕事、本当の仕事が削られる

私の仕事のメモを思い出していただきたい。「〇月〇日までに人事調書を出して下さい」と命じられたら、これを一番に終わらせなければならない。他にも金銭関係の処理などののっぴきならないことが山積していたことも。

再度強調したい。こういう場合に何が削られるかを。削られるのはしなくてもとがめられないことになる。それ以外にやりようはない。不登校の子どもの家庭訪問などが削られる。できない子どもを残すことも。授業の準備も。睡眠時間を削ることは毎

日はできない。そして同時に二つのことができない以上これは仕方のないことである。
教員の一ヵ月の残業時間を文科省が調査したことがあった。その調査は確か平均が一日一時間だったように記憶する。しかしである。その程度なら誰も文句は言わないし、私がこんな本を書く必要もない。この調査は、「どうしてもしなくてはならない仕事」を行う時間だと思う。授業の準備初め、しなくてもとがめられない仕事、子どもに向き合った本当の仕事を極限まで削って、それでも一時間不足ということであろう。私は言いたい。こんな調査にだまされるな、と。

②仕事、授業初め指導の質が上がらない

授業初め指導の準備また整理・評価の時間がなくて、不十分あるいは全くできないでその質が上がるわけがない。学力が低下したり、あるいは思うように上がらないのは当然だ。授業以外の指導も同じ。いつも仕事と時間に追われていて良い指導ができることはない。

ここで一つ問題を整理しておきたい。それは学力、そして学力テストについて。

学力が上がったとかあるいは低下したとか良く言われる。これは正しくは学力テストの成績が、なのである。学力と学力テストとは全く同じではない。それに学校がし

ているのはじつは学力を付けることではない。学校がしているのは教育である。教育の目的は、教育基本法の第一条にあるように「人格の完成……」、つまり全人的発達あるいは成長である。学力は、さらに学力テストはそれを量る一つの尺度に過ぎない。これが何故必要以上に大きく扱われるかというと入学試験があるからであろう。

しかし例えば中学校でも、しているのは教育であって入試準備ではない。よく予備校の方が学力が付く、と言うがそんなことは当たり前だ。予備校は学力テストのための施設、学校は教育の機関なのだ。比較するのは間違い。

一つ分かり易い例。学校には行事がある。運動会（体育祭）、音楽会……。これらは入学試験だけを考えたら無用の長物だ。しかし子どもの全人的発達には、つまり教育には大きな役割があるのである。またそういうものとして学校は扱わなければいけない。学校での授業は学力のために行われるのではなくまさに全人的発達のために行われているのである。学力は結果、それも良い授業になるほど比重が小さい結果なのである。もちろん良い授業は学力も高めはする。しかしそれ以外の側面がより素晴らしいのだ。それは授業について論じた箇所で述べた。明白に学校の仕事の中核である授業がまた行事が、従事する教員に研究されず低レベルにとどまる、というのは学力以上に大きな問題である。そして教育の結果が、その一つが学力、人によって異なるのは当たり前のこと、そんなに目くじらたてることではない。テストは評価に重要なので競争する必要はもともとないのだ。さらに言えば入学試験もまた、大きく取り扱われすぎだ。いくらこねまわしても、誰かが入学して、誰かが落ちる。学校は人生において比重は大きい。しかしどの学校かが問題でなくそこで一人ひとりがどう学ぶかが問題なのである。

授業以外の指導で比重の大きい生徒指導について考えてみる。既述のようにこの生徒指導というのはおかしな言葉であるが。

先ず、今日の授業以外での大問題であるいじめの防止を考えよう。いじめの主舞台は学校である。したがってその防止には学校が、具体的にはそこの教職員の行動が重要である。子どもと終日付き合い、暮らしているのだから。本気でいじめの防止を考えるなら学校と教員のあり方に目を向けるべきだ。

子どもの間のいじめにはその発見のためにも、また防止のためにも第一に教員が子どもをよく見守る、観察することが必要である。いじめは、できれば、そうなる前の状態，前ガン状態のように、前いじめ状態で、いじめの萌芽のときに発見することが望ましい。そして、そのときに対処すればいじめは起きない筈だ。ただ萌芽を感じたり、発見したりしてもケースに応じてすべきことは多い。被害加害の子どもとの面談、周囲の子どもからの聞き取り、ときにはアンケートをとる、これらはどんな場合でも行う必要がある。

要するに、日常接している教員が子ども達を観察することこそ全ての基本である。授業中にも指導と合わせて行える。というかすべきである。いじめは萌芽であっても子どもに何らかの変化を来たすのが通例だ。ただし授業中にはいじめは原則行われない。これは当然である。また被害児童加害児童ともに一般に隠す。給食の時間も教員がいれば事情は同じ。ただし油断はできない。教師のいない時間、掃除の時間、休み時間、放課後の時間が重要。

しかし、今まで書いたように休み時間は教師にとっても貴重な時間である。そして教員は常にすべきたくさんの仕事を抱えている。実際には通常子どもの観察は丁寧にはしていられない。新聞などに載る事件の多くを教師が知らなかった、と言うのにはこの事情がある。

子どもとの面談、あるいは子どもからの聞き取り、また話し合い、これらはいわば義務でない、規格外の仕事である。義務に近い普通のこともこなせないときにこれらを行うのはそれこそ大変だ。普通にしていたらできない。場所と時間を見付けなければならない。しかし付言。いじめの重大な事案は命に関わり、この場合にはそれへの対処は授業に優先する。ただし、報道された事例からも分かるようにこの判断は難しい。いじめは原則教師の目の届かない場所で行われるから。教師が気づいても、どの程度かはなかなか分からない。こんなとき沢山ある仕事と時間に追われていることが、教員の目を鈍らせ、行動をひるませてしまう。授業をつぶして取り組むというのは教員には大変なことなのだ。多忙とは直接関係ないが、授業をつぶして取り組み、いじめを解消したら、今度は授業をつぶしたことを非難されるだろう。

それにしても、私は教員がゆとりとまではいかなくても子どもをきちんと見つめることができ、そして必要なことを、これまたしっかり行うことができればいじめは十分防げると考える。外部からの力は借りなくても。

＊川崎市での衝撃的な中学生殺害事件に関連して

平成27年2月川崎市で中学1年の男子が18歳と17歳の（当時）少年3人に虐殺された。これをＮＨＫテレビは、1チャンネルの日曜討論で取りあげた。出演していた江川昭子さんは「そうなる前に何故学校や教師が気付かなかったのか」という疑問に対して「今は教師と子どもが雑談をする、というようなことが少なくなっている、子ども教師も忙しくて話をする機会が無くなってきているのではないか、それが一つの理由ではないか。」と言っていた。

全くその通り。現在の小中学校には教員と子どもが雑談をしている余裕はない。教員は「仕事」に追われ、子どももまた、休み時間には遊ぶことを含めて何かすべきことがある。子どももまた忙しい。

因みに。今は、子どもたち同士も、ことに中学生は、「話をする」時間がないらしく下校時、暑い夏の日に、また寒い冬の日に、道ばたに立って、あるいは路傍に腰掛けて、とくに女子が話をしている。私はそれを見ていつもよほど話す時間に飢えているのだ、と痛々しく思っている。

③教師が真の専門家あるいは専門職になれない

もともと、教師の専門が何かは議論があること、私自身何が専門なのか、また専門家と言えるのか分からない。しかしここではオーソドックスに授業・指導が専門として論を進めよう。既述のように、今日の教員は、授業の準備に、教材研究に殆ど時間がつかえない。既述のように必要最小限のことはしないと授業はできないからそれはしている。また勉強を全くしていない教員はいないし、本を全く読まない教員は少ない。しかし、その時間はごくごく限られている。すべきことは多くとても研究や読書などできない。教員は研究や勉強なしで、あるいはごくわずかのそれで授業や指導をすることを強制されているのだ。

もともと家で読書や研究・勉強をするのは大変なこと、そのうえに教師は要採点のテスト、読まなければならない作文、ときには事務の書類を家に持ち帰らなくてはならない。何回も繰り返すが、日々の授業の準備、教材研究ができないのは書いたとおり。それ以上の個人での研究勉強などできるわけがない。

こんなことがあった。家でするつもりで、仕事を持って帰った。ところが家で何かあってできずじまいで、手も付けずにそのまま、また、学校に持って行った。隣の同僚にそれを話した。すると彼女は「そんなこと、日常茶飯事ですよ。」と言った。思えば当然とも言うべきことであった。家は仕事をする所ではない。家事や子守り、ときは親の介護など家には家のすべき事がまたある。風呂、食事をすますとどこの家庭でもそう時間はない。

勉強に関して、週に一回必ず行われている学校での研修はいかなる存在か。それは別途検討する。

家事・育児の時間を取れない、というので独身で通す教員もいる。仕事に追われて婚期を逃す人はもっと多い。以前新聞で女性の教師が「教師を続けるには独身以外にない」と言っていた。また、結婚しても子どもを作らないカップルもいる。

さらに結婚していても独身同然に仕事を頑張る教師もいる。私もそんな一人であった。今思い返すと家族には申し訳ない思いで一杯である。例えば、小さかった娘達が夏「プールに連れてって」といつもせがんだ。しかし当時ずっと高学年担任だった私は家に帰ると体力を使い果たして大仕事はできなかった。無理して行動するとそれから少しの間不調となってしまう。いっこうに実行しない私に、彼女らの声は悲鳴、絶叫に近いそれとなった。しかし私はほとんど、ことによると全くプールへ連れて行けなかった。

④教員の専門性の不足が学校と教育界の専門性の不足を来たしている

以上に述べた教員の専門性の不足の大きな結果あるいは影響は、教員を取り巻く、あるいは教員がそこで行動する教育界、学校、各教育委員会、文部省が同じく専門性を欠くことである。教員が専門性を確立できないということは自身に自信を持てない、ということ。これは直ちに教職員集団とも言える学校に波及する。学校もまたきちんと仕事をしている、と胸をはることができない。事情は学校を現場とする教育委員会、そして文科省もまた同じ。学校初め教育界はよく外部の声や注文に左右される。教育界は、子どもの保護者や、周囲の人々に密接な関係があり、関心を持たれる存在である。それは当然のこと。しかしその低姿勢、弱さは群を抜いている。子どもの保護者に始まり、関係者、有力者、有識者などのクレームあるいは注文、意向を何でもかんでも「ご無理、ごもっとも」とばかりに受け容れる。学校などの教育側がきちんと説明して了解をもとめることはほとんどない。まして断固拒否する、等は見たこともない。

序でに書いておこう。右の事情は文科省を無定見にしてしまう。そこの打ち出す方針変更は根拠薄弱なものが多く、すぐにまた、もとに戻ったりさらに変更したりする。ゆとり路線の紆余曲折がその一例である。現場・学校はその度に仕事が増え苦労を倍加される。

⑤時間のかかること、手間・暇のかかることは全て捨てられる

教員はどうしてもしなければならないことにいつも追われている。何度も繰り返すがそれも勤務時間内ではこなせない。したがって、時間のかかること、その系で手間のかかることは、どうしても敬遠され、やがては消滅する運命にある。私には「綜合

的学習の時間」がそうなる、という気がする。その方向や目標は理解できる。しかしそれらを実現あるいは達成するには、現場に、つまり学校にどうしても必要なことがある。その第一。指導する教員がその意義を理解し、教材を開発することができること、その第二。同じく教員が子ども一人ひとりに対応し、フォローできること。両方とも時間と手間がかかる。今の学校に、また教員にその余裕はないのである。前述の二条件なしで行われる「綜合的学習の時間」は本物でなく、それにふさわしい結末を迎えるであろう。

＊飼育委員会——時間がないと……ときには動物全滅

右のことと関係がある一つのことをここで述べておこう。

既に説明した委員会活動の一つに飼育委員会がある。たいていの学校にある。学校で飼っている動物の世話をする。動物は私が担当したときにはにわとり、うさぎであった。生き物の世話はとくに手が抜けないという特徴がある。そしてことに油断ができない。生き物を飼う、というのは良い経験であり、したがってよい教材になり得る。しかしそれにはやはり条件がある。それは十分に面倒がみられれば、つまり世話をする十分な時間があれば、ということ。今の学校には十分どころか必要な時間もない。教員にゆとりはないが子どもにはある。そういうことは学校ではあり得ない。そこで、動物の飼育はよく逆の結果に、つまり非教育的、あるいは反教育的になる。

動物に十分な、どころか必要な世話ができない。あるいはしない。よくそういうことになる。もちろん担当の飼育委員の子どもに責任がある。しかしそれは十分に指導あるいは点検しなかった、事実はできなかった担当教員の責任でもある。まず掃除が行き届かない飼育小屋。糞とひっくりかえった餌箱の中味が入り交じってめちゃくちゃ。次に餌や水をやらない。あるいは取り替えない。結果濁ったり、腐ったり。それで餓死、あるいは共食いなども出る。まれには、そうしてできた死体が何日もあることがある。

小屋そのものの管理もきちんとしないといけない。網が破れたり、どこかに穴が空いたりしていると、猫や犬が入り込み、中の動物は全滅となる。私は担当でなかったが、全滅を見た。まこと、見るも無惨だった。小屋全体が血にまみれていた。狭い小屋で逃げ，追いかけが行われたのであろう。餌だの羽だのが散乱していた。にわとりの頭部もあった。小屋の穴の見逃しか、あるいは鍵のかけ忘れか、戸の締め忘れかで、万事休すとなる。

私の担当時のことも語ろう。まず私は小屋用に長靴を買って貰い、小屋の近くに置いて、すぐに入れるようにしておいた。いちいち遠くまで取りに行っていたら手間暇がかかるから。近くを通るときに小屋を見るのはもちろん、学校から帰るときには必ず点検するようにした。「一回の手抜きで全滅」を恐れたからである。掃除、餌・水は当番が決まっていて必ずすることになっていた。しかし忘れることもあるし、子どもでもできない場合もある。してあっても不十分でしたとは言えないようなときもある。そもそも大人でも子どもでも十分の程度が人によって異なる。不十分は私が補うしかない。整理、清掃は私には不満なことが多く毎日行った。私が帰るのは勤務時間を過ぎてからで、子どもはとうにいない。私がするほかないのだ。当時私が悩まされたのは、小屋の金網。古い上に素材が弱く、すぐに穴が空く。よく穴を見付けた。そのままにすると前記忘れられないことの再現となる。それで、即修理となる。用務員さんがいればしてくれるかも知れない。しかし彼ももう帰ってしまった。そもそも、用務員さんも忙しく安易に頼めない。稀には依頼しても断られる。そこで私が一日の仕事で疲れた体にむち打って道具・材料を探し、持ってきて、がたがた修理を始める。もともと明日までのばせない、は教育の本質的ともいえる性質だ。

教頭になってからも、朝、学校を巡視するとき、飼育の小屋に入り込み掃除をしたり、餌や水をやったりした。それは動物が可愛そうだったからだが、昔の担当時代のことが体に残っていたからでもあろう。世話を担当職員に指示するより、それが普通の方法だろうが、教頭の私が手を出していると分かれば担当も考えるだろう、と思ったからである。暇だったからした、のでは断じてない。

さらに付言。その一。飼育関係で私のしたことはどこまでが義務でどこからが余分なのかは不明である。それをしなければその分早く帰宅できた。多くのことは、しなくても文句は言われない。何度も書くができないことをする義務はないのだ。私のしたことは自身では最低限のことと思っている。しかし、あるいは「仕事を抱え込んでいた」のかも知れない。その二。何年か、一年だったかもしれない、飼育委員会担当をしたが、ある小さなできごとでそれやめることにした。そのできごと、というのは以下のこと。ある日事務室へ用事で行った。するとそこで何人かの職員が雑談をしていた。それは校内では比重の高いメンバーである。話題は、他校の飼育委員会担当の悪口であった。「全く、どうしようもないやつだ。動物を医者に（もちろん獣医）に見せろ、なんて言っている……」。これを聞いて私は飼育担当を続ける気はなくなった。彼等には飼育担当の苦労などは眼中にないのだ。私も当時出来れば獣医にみせたい動物がいた。そんな思いや行動は、「どうしようもない」ことなのだ。これがかなりの者の、担当への思いなのだ。しかしこのこと誰にも言わなかったし、言えないことであった。私が後日「飼育はもう担当しない」と言ったとき、理由を言わなかったから「大変なのでいやなのだ」と他の職員に思われたことであろう。

もう一つ付録。あるときの飼育。こんなこともあった。ある教員達が担当に、いやいやなった。もともと飼育担当の希望者は多くはいない。生き物の世話は、見方によれば3Kの仕事である。危険、汚い、臭いと3拍子がそろっている。いやいや担当のもと、動物は次々と死に、残りはうさぎ1羽となった。担当の一人が言っていた。「あと一つだ。がまんしよう。」私には、全滅するまで我慢しよう、という意味に思えた。その後どうなったかは記憶にない。しかし仮に動物が全滅しても、特に問題にはならなかったであろう。担当の教員がいつも目一杯働いていたことは明らかなのだから。教員の現状ではこれ、いわば想定内のことである。

少し古いが関連した新聞記事を紹介しておこう。それは平成10年9月18日付朝日新聞夕刊の記事。

見出しは「学校ペットやめて」　また太字で〝休日は放置・清掃不十分・温度差で死なす　愛護団体調べ　「心が豊になると思えない」〟とある。

記事では、動物愛護団体が調べた結果が報告され、また、生まれた子うさぎの処置に困った、小屋掃除もいきとどかない、うさぎが首から血を流しているのを子どもが面白がっていたなど幾つかの具体例も掲載されている。そして「こうした実情を踏まえ……文部（ママ）省に……学校での飼育をやめるように要望することにしている。」とある。私の体験とよく符号する。まさに記事の通り。現状では飼育は止めるよりない。

以上を書き終わって「学校での飼育」を取りあげた、比較的最近の新聞記事を見付けた。

それは朝日新聞の平成27年10月29日に載っている。見出しは〝学校での飼育どうする？〟である。太字の部分は〝命実感する機会§感染症が心配　教員に重い負担　二極化進む恐れ　飼育取りやめ、各地で増える〟などがある。こちらで話をすすめれば良かった、と思う。しかし相変わらず問題としてあることの証明にはなる。学校の多忙さが解決していないのだから当然である。

⑥何であっても、新しい仕事を取り入れる、あるいは何かを新しく始めることは不可能。

これは、前節の「時間のかかることは全て捨てられる」の一部だが、大事なことなので別途書くこととした。学校は「良いことだ」とか「必要だ」ということで新しい仕事をよく増やされるのは既に書いた。最近では学校にいじめ防止対策委員会が置かれることになった。しかし、現在の学校は例え何であれ、新しい仕事を始めることは無理なのだ。何回も書くが必要最小限のことができないのが今の学校。何かが入り込む余地はない。

現在、小学校で英語を教えることになる、と言う。その当否、あるいは可否はここで論ずる問題ではない。ただし、はっきりしているのは、それがもう限界を超えている小学校にさらに大仕事を背負わせることだということ。一升瓶に二升いれる行為だ。問題はこぼれ落ちるものが何か、である。今までしていた何かが犠牲になる。それしか論理上あり得ない。別に詳しく書く必要があることだが、こぼれるのは子どもに直接向き合う仕事、最も本質的とも言える仕事である。

⑦「できない子ども」は放置される。

これまた、「時間のかかることは全て捨てられる」の一部だが、やはり大事なことなので別途書くこととした。

特別に個人的に指導しないと落伍するかも知れない。例えば、かけ算が一人だけできない。そういう子どもはたいていのクラスにいる。以前はそういう子どもだけ残して指導する〝残り勉強〟がよく行われていた。現在はそういう光景は激減というくらい減っている。もちろん教員にその時間がないことが主要な原因である。

もともと勉強ができない子ども、学力遅進児の指導はなかなか成果が上がらない。できるようにならないし、またできてももどってしまうことも多い。能率、効率などの観点からはもっとも〝あがらない〟仕事の一つである。また成果があがっても、とくに目立ったりはしないし他に評価もされない。それ、指導した教師とされた子どもしか分からないのだ。でも彼等、彼女等には個人指導が必要である。しかし行う時間が取れない。しなければならないことが山積している。そのうえに個人指導は義務ではない。放置はしたくないのだが、心ならずもそれに近いことになる。これが今までの、そして現在の状態である。

これを感じるとき、あるいは気が付くとき教師は既述のジレンマに落ち入り、いらいらし、ストレスがたまる。しかしどうしようもない。

＊〝学力の低い子どもにはせめて実直な精神を…〟三浦朱門氏の言葉

ここで、この言葉について教員の忙しさとの関係を整理しておこう。

かなり以前政府の教育関係の委員であった三浦朱門氏が「学力の低い子どもには（学力を付けるのは無理だから）せめて実直な精神だけ身につけさせれば良い。」と言った。これ、教員が忙しくて、学力の低い子どもの面倒が見られない、ということに対して言われたと記憶する。教員の忙しさと直接の関係はないが、「できない子どもは放置される」ことと関係があるのでコメントしておく。

第一。「実直な精神を身に付ける」ことは教育の究極の目標であり、したがって簡単にできることではない。そんなことが簡単にできれば教員は苦労しない。「せめて」に続くようなことではない。学力をつけるより、範囲が広く、より難しいこととも言える。

第二。「学力の低い子ども」と落ちこぼれは同じではない。学力の高い、低いは常に存在しそれ自体は問題ではない。学力の低さが問題になるのはそれ故に落ちこぼれになってしまう場合である。落ちこぼれというのは何らかの理由で学級集団から外れてしまう存在。それは、子どもにとっては学校における最大の悲劇だ。でも、それ、落ちこぼれがいても仕方がない。そう思う人がいるかも知れない。しかし教員は落ちこぼれを出したくない。もちろん当人のために。と同時に、学級、学年，学校のために。何故なら、それ、落ちこぼれのいる集団は、望ましい集団でないから。それは弱い、問題の発生しがちな、それである。集団の意義は既に述べた。教員はこれがいやなのだ。それ故にも落ちこぼれはいてはならないのだ。

付言。当たり前のことながら、学力が低いだけで落ちこぼれにはならない。〝勉強は駄目だがサッカーがうまく、クラスの選手〟こんな子どもは落ちこぼれではない。この例のように、体育でなくても行事やクラブなどで活躍できる場合も同じ。

落ちこぼれを出さない最も普通の方法は、良い授業をすること、次いで個人指導をすること。どちらも時間がかかる。また書かなければならない。教員はやりたくても時間がなくてできない状況にある。

もう一つ再言。最近子どもを残して指導する、という以前は日常的に見られた光景が激減と言って良いほど少なくなった、と言われる。これが事実なら、教員に時間がない、という一般的な理由の他に、ここで取りあげた三浦氏の言葉が、どの程度かは不明ながら影響しているのであろう。そうだとしても「実直な子ども」が育つわけもない。

⑧教員の健康状態の悪化——これが学校をさらに忙しくする

慢性的な過労状態。大多数の教員はそういう状態だ。これは病気にきわめてなりやすい状態だ。教員には事実病気になる人、倒れる人がいる。とくになりやすいと考えられるのは精神疾患である。また書くことになる。教員は、子どもに必要と思うことがやろうにもできない、だけでなく外の仕事にいつも追われている。ジレンマとストレスにいつもさらされている。

そして、そんな状態の学校で、誰かに休まれるのは非常に困る。もちろんそれは学校だけのことではない。学校ではさらに困る、ということ。というのは、子どもを放っておくということはできない、許されないからである。担任が休んだ学級には誰か行かなければいけない。教員はそれを知っているから、少しくらい具合が悪くても無理して出勤する。それで、休み出すと長くなる傾向がある。稀には手遅れで命を失った人が私の近辺でいた。

私は既述のように危ないとなったら寝る、を実行し、運も良かったのであろうが、病欠は20年近くしなかった。教頭になってからは、先生方に、具合が悪かったら早めに休むことをすすめた。このことは先生の休みを多くするような気がするかも知れない。事実は逆。その方が病気が軽くすみ、本人のためにも、学校のためにも良いのだ。また、当時教頭の私にとっても。誰かが休むと先ず動員されるのは、セブンイレブン勤務の私であったから。

因みに。教頭時代、私は中学年（3・4年）以下の担任が休んだときは、原則、給食をその教室まで持って行って一緒に食べ、昼休み・清掃まで、教室にいて手伝い、監督をした。

⑨教員のなり手が減る

教員は子どもに人気のある仕事、職業である。なりたい仕事というアンケートを子どもに採るとベストファイブには必ずはいる。しかし、大きくなり本格的に考えたとき、仕事をする時間がないでは、誰でも二の足を踏む。私自身教員に就職して間もなく転職を考えた。それは仕事ができないのと、もう一つは、アルバイトをしたときに味わった「一日の仕事が終わった」ときの解放感がないから。もちろん？　実行を考える時間がなく、定年までなってしまった。

教員志望者は考える。やりがいがあるからなりたいのに、それがなかなかできないのだ。これでは困る。仕事の選択、就職は一生の問題。子どもに向き合った本当の仕事はやりたい。しかしそれができない。この実態は、真剣に考えさえすれば、事実であるだけに、誰にでも分かる。否定するのは馬鹿者のみだ。そして、何人かは断念する。

私が大学生のときに、それはいわゆる教員養成大学であったが、教員になろうと入学しながら、教員の実態を知り悩んでいた者がかなりいた。それは、やりたい仕事ができないだけでなく〝無理して〟すると職場で孤立することを知ったからである。このことは後に取り上げる。

9　教員は時間のないことにどう対応するか——強いられる順応

さてそれでは、こういう状況下で教員はどうするか、典型あるいは多数の対応を見てみよう。

教員は、子どもとの学習、生活に抱負や夢を持ってその第一歩を踏み出す。しかし、忙しくて何もできないに等しいことを知らされる。とくに子どもにこうしようとか、やってやりたいとかいうことができない。あるいは実行が難しい。

初め彼等彼女らは忙し過ぎる、と思ったり、言ったりする。しかし、すぐに言っても、思ってもどうにもならないことに気が付く。である以上、思ったり言ったりするのは馬鹿だ。これを前提にして対応、順応するしかない。先輩を先ず見てみる。問題解決のヒントとして見習うような人は、正直なかなかいない。どうする？　一。教員稼業に見切りをつける。しかしこれ、私同様実行するのは極一部である。二。時間がなくても、してやりたいことを実行する。もちろん他の仕事もきちんとする。必然的に時間がかかり、勤務時間終了後も仕事ということになる。以前24時間教師という言葉があったがそれに近い状態だ。若い教師は、初めはほぼ全員がこのタイプだ。早く帰っても家で仕事だ。こうして夢中で過ごしているうちに婚期をにがして、晩婚あるいは一生独身ということにもなる。

明白なこと。それはこういう生活をずっと、一生続けるのは、不可能ではないかも知れないが困難だということ。それで、新任当時ほどではないが、程度を落として教員を続ける。これが多くの、多数の教員の方法。私もこれに入る。しかし新任当時との隔たりには格差があるのは当然。これは人によって大きい。

それにしても、である。この状況を前提にして「この世界」で生きていくことを考えなければならない。それには万事できる範囲で行う。持続可能でないと話にならない。ときには学校に残り、またある程度は家に仕事を持ち帰るのも仕方がない。現実を見つめ、あまり大それたことは考えないしまた、しない。これしか道はないのだ。そして教員を続ける。これが標準的タイプ。数から言うと多数である。それで皆同程度の仕事をし、いやでも仲間となり連帯も生まれる。こうして平均的な教員集団が形成される。当然平均的教員集団からなる平均的学校がそれにふさわしく多数出現する。ものごとは、時間が経てば、また多数になれば平均化がすすむ。これ、学校とて例外ではない。

さてここで問題が一つ。平均的でない、言わば種類の違う教員が、学校に、普通の学校、平均的学校に現れたらどうなるだろうか。彼、または彼女は教材研究をしないで授業をするということはしない。家に持ち帰っても、寝ないでも必ず行う。また、子どもへの対応も必要なことは、原則何があろうと実行する。それ以外の仕事、事務的なそれも手は抜かない。必然的に学校に毎日遅くまで残って仕事をする。あるいは毎日仕事を家に持ち帰る。新任の時の24時間教師のままだ。要するに何もかも平均的なレベルを超えている。

こういう彼または彼女は、平均的学校でどうなるだろうか。第一に、多数派の平均的教員集団に煙たがられ、嫌われるであろう。何しろ自分達と異質の変わり者だ。そのうえに困るのは自分達がやりたくてもできないことをしていることである。こういう者と比較されたら自分達は手抜きをしていることになってしまう。また、不当にもそういう者が「熱心な先生」「良い先生」と言われることもある。ということは、自分達はそうでないことになってしまう。

煙たがられ……が発展して、意地悪、拒否反応、ひいては、いじめ、ときには村八分ということも。私自身それに近い状態だったこともあった。なにしろ、民主主義の世の中にあっては、「多数」が正義であり、力でもある。多数派は、やりたいことは何でもできるのだ。ごく稀には新任の教員が、そんなターゲットになることもある。

一つ例をあげよう。東京の杉並区で民間出身の中学校長がいろいろ新機軸を打ち出した。しかし同じ区の中学校長達はみんな無視に近い態度だったと言う。これが事実ならその理由は民間出身の校長が平均的存在でなかったからだと私は思う。よく有名教員著の本で攻撃されるのは、例えば『残念な教員』（林純次　光文社新書）という本で、みな平均的教員である。ただ『残念な教員』の対象はほとんど高校の教員。つまり私がここで言うことには高校にもあてはまるということ。

そこで次には、平均的でない異種の教員はどうする、あるいはどうなるかを考えよう。先ず、煙たがられる、嫌われるは、賢明なあるいは有能な人間の最も忌むべきことである。それで、そうならないようにする。最も手っ取り早い方法は、平均的教員の仲間入りをすること。歓迎されてみんなの仲間になり、快適だ。そうすれば仕事もきつくなくなる。〝糞頑張り〟しなくてよくなる。これが標準。こうして平均的教員の世界がさらに強化される。

一方、幾人かはそういうことが嫌で、もしくはできなくて相変わらず頑張り続ける。このタイプには長い苦難の道が続く。24時間教師を続ける大変さのうえに、平均的教員の冷たい目と態度に堪え続けなければならない。平均的教員も、頑張る教員も両方嫌な者は、さらに第三の道を考える。これはまた別途書こう。

また、教員同士で結婚して共稼ぎとなると、平均的教員化への圧力はさらに強まる。前述の「頑張り」は問題外だ。今日、共稼ぎの教員はどこの学校でも教員同士でないカップルをいれれば5割以下ということはないであろう。前にも触れたが、共稼ぎの教員の場合、家で仕事をするのは、独身の教員、結婚していても共稼ぎでない教員に比べてさらに難しくなる。家事のうえに育児をしなければならないから。共稼ぎであってもお手伝いさんを雇うことなどできない。むかし、そんな女教師の手記を読んだ。それには「……家にいるときは学校のことは考えられない。家事、育児一筋。学校へ行くときに乗る電車の中で学校のことを考える。学校では仕事のことだけ考え行う。学校を出て、家に帰る電車の中で、今度は家のことを考える……」とあった。産休や育休が終われば、保育園に子どもを預けることになる。そうすると、私もそうだったが、どちらかが決められた時間までに迎えに行かなければならなくなり、事情はさらに厳しくなる。

10　「忙しい」と言わない教師

今まで、教員の多忙さについて、縷々綴ってきた。ところが稀には「忙しい」と言わない教師、それどころかそれを否定する教師がいる。ここではそういう教師について考えよう。ここで、一つ確認しておこう。何度も書いたが「教員は子どもに直接向き合った仕事をする時間がない」のだ。もともと「子どもに直接向き合う仕事をする気がない」なら「時間がない」とは思わないということ。もちろん、そうであっても教員の多忙さは事実であり、「時間がない」のは今の教員の常識である、と私は考えている。

ここでは論をすすめる必要上教員をいくつかのタイプに先ず分けてみる。このタイプ分けが回答に近い比重を持つ。それから主題に移りたい。

注意。以下に述べる教員のタイプは、説明、考察、記述のための手段いわば方便である。その点他の術語と同じ。現実の教員は、ここで述べるタイプに完全にあてはまる者は殆どいない。既述の平均的教員も含めて、現実の教員は混合タイプである。時と場合でタイプが変わる。ここでのタイプは、あるタイプであってもその要素が他の要素より強いという程度のこと。

①聖職型――忙しいと言う

子どもに常に目を向けていて、しかも仕事一筋。それ以外のことはほとんど頭にない。だいたいの新任の教師、24時間教師はもちろんこのタイプ。9時5時の人であっても子どもに向いていて、仕事一筋ならこのタイプと言える。恐縮ながら私もおそらくこのタイプであった。

そして「忙しい」「時間がない」と言うのは基本的にこのタイプである。もちろん、どんなタイプであっても教員の多忙さは事実である。

②ひらめ型――忙しいと言わない

管理職を目指す。理由はいろいろ考えられる。あるいはこれ普通のことなのかも知れない。過日、テレビのニュースである大企業の入社式を見た。新入社員の代表の若い女性が「外の人をリードする立場になりたい」と言っていた。これ、昇進し管理職になりたい、という意味と思う。私は、少し違和感を持った。理由は、私は若いとき、それもかなりの期間そんなことは全然考えなかったからである。目の前の仕事に集中していた、悪く言えば追われていた。

本題に戻って。上を目指すのが、平均的教員から逃れる手段というケースも考えられる。とにかく上に行こう、偉くなろう、と考えている。このタイプは周知のようにひらめ教師とよく言われる。上ばかり見ている、ということで。管理職を目指せば必然的にそうなる。それは学校でなくてもどの社会でも同じであろう。

このタイプは「忙しい」と言わない。何故か。管理職になることが目的なら「忙しい」のは一つの事象、管理職になるうえでの一つの状況に過ぎなくなるから。そんなことを言っても始まらない。

もう一つ言わない理由。それはひらめが見つめる管理職や教委にいる教員が同僚や部下に「忙しい」と言われることを嫌うから。どんな理由かは不明だが、私が見てはそうである。見上げる対象、自分が上昇するかどうかを決める人が嫌がることを、ひらめがするわけはない。これこそ真っ先に避けるべきことだ。

③外部目的型――忙しいと言わない

仕事以外のことが目的の教師。たとえば組合活動に熱心である、あるいは政党に所属して頑張る。あるいは宗教に入って活動する。さらにその他のこと、絵画とか文学とかで自分を発揮しよう、というタイプ。組合を除いて公然と、あるいはおおっぴらに活動の姿を示すことはない。学校では何であろうと仕事以外のことをしている暇はないからである。しかし今列挙したことに従事していて、熱心であるなら、ひらめ型と同じに「忙しい」とは言わないだろう。と言うのはひらめ型と同じく仕事が目的でないからである。ただし、私が見たそれらしいと思われる人には、聖職型と見紛う仕事熱心な人も多かった。政党や宗教、また趣味は勤務時間外のことだからこれはあり得ることである。繰り返すが、組合、政党、宗教、趣味が強い目的ならひらめ型と同じく「忙しい」は言う必要のないこと。「忙しい」は条件の一つに過ぎないから。

④サラリーマン型――忙しいと言わない

右のどれにも属さないタイプ。聖職型ほどには仕事に打ち込まない。また、特に管理職になろうとも思わない。特に、であってなろうと思わない、のではない。ときがくればなることも考えるし事実なることが多い。ひらめ型ほどには熱心でない、ということ。組合に入っている場合も熱心ではない。特別な外部目的はもってない。平均的教員によくあるタイプでもある。このタイプにあっても「忙しい」はやはり条件の一つ。よくないことだが言ってみてもしょうがない。その中でやっていくしかない。

いわば常識的にそう考え、行動する。

ある例。彼は定時に出勤する。家に仕事は持ち帰らない。何時も手ぶらで帰る。それをときに自慢する。大体の教員が苦労する通信簿も作るのが早い。他の人がこれから始めようという時期に「もう終わった」等と言う。何でもこんな調子で仕事が速い。こういう具合に仕事ができるなら、教員が忙しいというのは嘘ではないのか。そう言う議論も出てきそうである。

率直に言って私も彼がどのように仕事をしているか分からない。言えることは、私とは全く異なるタイプだ、ということ。子どもや親の評判も良いとは言えないが、特に悪いわけでもなかった。思うに、定時に退勤する、それを唯一の目的にして仕事をすれば、そうできるやり方があるのではないか。ただし他の全てはその目的に従属させねばならない。しかし他のことを全て犠牲にするにしても、子ども・その親、また同僚から、批判や文句が出ない程度にする必要はある。おそらくそのようにして目標を達成していたのであろう。こういう人も稀だがいる。

＊重ねて注意

念のために。以上述べたタイプは、百％そういうタイプという人はいない。例えば子どもの前に立ったときには、いかなるタイプも聖職型である。ごく特別な人や場合を除き、子どものこと以外は考えていない。さらに何時も同じでないときもある。聖職型がいつの間にかひらめ型に、というケースもある。他のタイプだったが挫折してサラリーマンタイプというケースも考えられる。

私は概して聖職型であった、と思っているが、若い何年かは組合活動に熱心に取り組んだ。選挙運動に協力したこともあった。もちろん違反にならない程度に。ずっと後年管理職試験を受けていた期間はひらめ型とまではいかなかった（と思っている）が、以前よりは上を見ていたと思われる。思われる、と書いた理由。私はそれにはなれないと考えていたから。私は性格上、お世辞を言ったり、ごまをすったりはできないタイプだ。

要するに、忙しい、と言わない教師がいたとしても、また否定する教師がいたとしても、本書の論述で「教員の多忙」は証明された、と思っている。

11 「時間がない、というのは無能な人間」か。それは学校では逆。「有能」な教師は教育を駄目にする

有能というのは通常良いことだ。また教員の多忙とその有能・無能は直接関係ない。そして、「時間がない」は多くの場合、愚痴でもある。しかし、じつはこれらが互いに影響し合って教員の多忙という問題を見えにくくしたり、解決を困難にしたりしているのである。

有能な、あるいは優秀な教師。一部の、自分がそう思っている人の使う言葉だ。自分が無能だと思っていたら、使うわけがない。それで有能と言われるのは、どういう教師かを最初に列記し、多忙との関係を考察しよう。

①有能な教師

ア、管理職の教師、地位の高い教師

通常、教員の世界で有能と言われるのは、校長を代表とする管理職の教員である。逆に、管理職にならないで定年まで勤める教員、特に男性の教員は、しばしば「有能」

な教員に無能と言われる。管理職は難しい試験に合格したのだからその点有能なのは間違いない。ただし人数の構成が管理職は少なく、なれる人は限りがある。希望者全員がなれないことは明白である。

ここで超時間不足の学校における管理職について考えよう。先ず、それになるためにはかなりの時間と手間がかかる。少なくとも私はそう感じた。もちろんそれを詳細に語る必要はない。そしてこのことはおそらく学校以外の一般社会でも同じであろう。しかしである、ことに、子どもに向かい合う仕事ができない学校で、管理職試験のための時間と手間は軽視できない。実際に私もかなり考え迷ったし、それで受験を止めた人もいた。

さて、管理職になった教師は一般に教員の多忙を否定する。それは多忙が事実なら、その中にあって管理職になったことが、上にきたことが正当化できなくなるからである。一部は、それもあって管理職にならない教員を無能だと言うのだ。もちろんひらめであって、同僚を裏切り、あるいは他人を蹴落として上がった者ならそう言うのは当然でもある。

イ、有名な教師

有能と言われる教師の、もう一つのタイプは管理職であってもなくても有名な教師である。ここでは、典型として、マスコミで活躍する教師に的をしぼろう。本を書いてそれが売れ、著名となる。テレビなどへ出る場合もある。また、何か特技で有名な教員もいる。もちろんこれは稀でごくわずかだ。今まで見聞した例では、画家、作家と言ったところだ。

例によって、忙しい学校における彼等を考察しよう。本を書くのも、その他特技はなんでも時間のかかることだ。現役教師なら、子どもに必要なこともできない状況下でそれをすることになる。時間とエネルギーを使って。これには管理職試験と同じ問題・ジレンマがある。普通の教員は仕事に追われて本を書くどころではない。本を書くためには仕事の時間か、私生活の時間を削ってしなければならない。教員は時間外でも仕事に追われているのは今まで書いた通り。勤務時間外に何をしようと自由なのはもちろんである。しかし、教員は時間外にも仕事をしなければならないということも書いた通り。つまり本を書くためには仕事の時間をそれに向けなければならない、ということ。考えていただきたい。こうして本を書き、有名になったとして、これを有能として良いのだろうか。と言うのはもし彼が有能なら、本を書かない無名な教員は無能ということになってしまうからである。

しかし、本を書く時間を子どものために、あるいは学校のために使う教員は断じて無能ではない。子どもと学校にとってはそちらこそ有能なのである。

私は本書がＤＶＤをいれて三冊目の著書だが、どれも退職後出版した。現役時代から本を書きたいと思っていたが、遂に、果たせなかった。もちろん時間がなかった。繰り返すが、本を書く以外の例えば絵を描く、小説を書く等の場合も同じであろう。
ウ、教員として、教員の世界で有名な教師。
マスコミで活躍したり、本を書いたりしなくても有名な教員はいる。それは何か仕事で実績あるいは成果をあげている者だ。このタイプにも、マスコミで有名な者と同じ問題がある。それは、有名になるためには、実績や成果をあげ、さらに外の人に、とくに上司に知ってもらわなければならないからである。言うまでもないことながらこれには時間とエネルギーが必要。これ、子どもと学校のためにも使えた筈である。しかし彼はそうはしなかった、ということ。超多忙の中、自分売り込みの努力をし、成功した、ということ。もちろんそうであっても悪いことではない。またこのタイプの有名な教員には子どものためにも、学校のためにも平均以上の仕事をしている人も多い。それでも、同時に二つのことはできない。Ａに時間を使ったら、Ｂには使えないのだ。

②子どもに直接向かい合う仕事、学校のための仕事、それらは目立たない

ここで一つ重要なことを書いておきたい。もちろん教員の多忙にも関係する。それは教員の行う子どものための仕事は殆どが目立たない、ということ。それは実績とか成果とか言われたりすることはない。形になったり、他人に見えたりもしない。

例えば教員の基本的な仕事である授業の準備・教材研究。良い授業をするために自宅で教科書を広げる。これは殆どの教員がしていることだが、成果や実績にはならない。もちろんしている教員もそんなことを目的にして行っているわけではない。

例の二。分数が分からない子どもを残して特別に指導する。これも同じ。行っても実績や成果にはならない。そもそも残しても簡単にクリアーしない。何回も残してやっとクリアーしても、知っているのは当の教員と子どもだけだ。

しつこいが例三。飼育小屋の穴を退勤時に見付けた。しかたなしに一人で手間暇かけて修繕した。これも同じ。当人が宣伝しなければ誰も知らない。動物を全滅の危機から救ったのにである。以上のようなことはいくら行っても、そもそも誰にも知られない。もちろん管理職にも知られない。従って成果でも実績でもなく昇進のポイントにはならない。また有名になることもない。だが、良く考えてもらいたい。こんな知られない仕事をコツコツと続ける教員こそ貴重なのである。少なくとも子どもと学校

にとっては。有能どころか最高にありがたい教員なのだ。

教員の仕事はもともと地味な性質を持つのではないか。教員に期待される仕事は、いわば本質的な仕事ほど散文的とも言える目立たないものが多いのではないか。右に挙げた例で十分だがさらに幾つかあげてみよう。不登校の子どもの家を訪問する。これもかなりの回数行ってもなかなか子どもは登校しない。また、必死に本をさがして読む。でも、特効薬があるケースは少ない。つまり実績や成果にならない。もちろんしている教員はそんなことは問題にしていないが。いじめの防止を考えよう。これにも既に書いたが、子どもの観察が基本的に重要。次いで子どもとの各種コミュニケーションが必要である。どれにも、時間も手間もかかる。そして、そうした行動でいじめを防いでも、いじめはなくて当たり前。「実績」「成果」にはなりはしない。しかし、これは重要で意義のあることをしているのだ。

③有能な教員は、忙しいと言わない。その点も含めて教育を駄目にすることも

有能な教員は、成功した教員である。成功し、あるいは立身して満足している教員が全てに文句のあろうはずがない。当然「忙しい」とか「時間がない」とか言わないだろう。まさに「忙しい、というのは無能な者」の典型例だから。

繰り返すが「忙しい」のは「子どものための仕事」がしたいからなのだ。有能な教員達は、仕事が目的でなく、自分の有能を実証することが目的だったのである。もちろん有能であろうとなかろうと教員である以上は仕事を、子どものための仕事もしている。しかし基本が自分のことであり、時間がない、忙しいはそのための一つの状況に過ぎない。それ故に有能な教員は本質的に現状肯定となり、また保守的になっていく。彼等からは改革や革新は期待できない。彼等にはこんな良い世界は他にないのだ。厄介なこと。それはどの世界でも管理し、支配しているのは有能な者であることだ。有能な教員が教育を駄目にする、と言うのはこういうことなのである。

ことに一部の「有能」な教員の普通の教員への無能呼ばわりは許せない。彼等は、自分とタイプの異なるそれらに引け目、負い目を感じ、そうするのだ。稀にはＰＴＡなどで、「あいつは、馬鹿で管理職になれない」「○○は無能で昇進できない」などと言いふらすこともある。聞いた愚か者がさらに広めることも。しかし、子ども一筋、仕事一筋の教員こそ、最も望ましい、その意味では有能な教員なのである。

④「優秀な教員を優遇する」最悪の愚策

序でにもう一つ関連することを書いておこう。善意からであろうが、良く「良い教員を特別扱いにする」という考え、あるいは方策が話題になる。これは最悪とも言える愚策である。それは今まで私の書いてきたことから自ずと分かる。

第一。良い教員とは子どものために骨身惜しまず働く教員であろう。まさか、上の意向に忠実な教員ではないだろう。そして既に述べたように、子どものための、直接子どもに向いた仕事の多くは目立たない。また、成果もなかなか上がらず、また上がっても目には見えないことが多い。つまり良い教員の選定、認定は難しい。

第二。難しい「良い教員」という認定を無理して行って表彰などと顕彰して、もし間違ったら、あるいは本当に働いている教員が漏れたらどうなるか。頑張っている多くの教員は努力が報われず、やる気がなくなるだろう。まさに、一将功なり万骨枯る、となるだろう。目立つ教員が表彰され、特別扱いされ、自分は認められない。認められるために仕事をしているのではないとは言え、馬鹿馬鹿しい、とモラールが低下することは確実である。不正確な「優秀認定」は多くの真の良い教員の意欲を殺ぐ逆効果になる、ということ。

第三。以上のことと重なるが、もともと人事なるもの、百%公平公正には行われない。人事が百%公正に行われていたら教育界も、日本ももっと良くなっただろう。公正が難しい、それは言わば人事の宿命ではないか。

従って、良い教員を特別扱いするのでなく、教員全体の待遇を良くすべきである。もちろん悪平等となり、真に良い教員もごく一部の怠け者教員も同じになってしまう。しかし、逆のケースよりはるかに良い。待遇の改善は、目立たない、頑張っている教員のやる気を支えるだろうからである。

12　学校・教員の多忙――どうすれば良いのか

ならばこの、言わば重大事態はどうしたら良いのだろうか。最後にそれについての私の考えを述べよう。

一つ言っておきたい。それは本書で私が主として分かっていただきたいのは学校・教員の多忙さである。そして、それが事実であったら、もちろん私は教員時代ずっとそれに苦しんできたので事実だが、それをどうするかは、私だけが考えることではない、ということ。これは緊急のそして重大な問題である。日本中の教育関係者が考えるべきであるし、是非ともそうしていただきたい。

以下に私の考える解決策は、必死に考えたものではあるが、これは私個人の考え、それも、言わば試論だ。そのつもりで読んでいただきたい。

①教員の、つまり学校の多忙を、緊急そして重大な問題と認識すること

私は、これこそが問題解決の出発点であり同時に終着点ではないか、と考える。問題はすでに語り尽くされたというほど今まで論じられた。それは、はるか以前から言

われてきたのは先述の通り。新聞の投書欄には多忙の訴えが私のも含めて数限りなく出ていた。そして、何か問題がある度にそれは取り上げられた。最近ではいじめ問題で。そして、改善策らしきことも何回も言われた。しかし、にも関わらず、一向にと言って良いほど事態は改善されていない。教員にアンケートを採ってみると良い。多数の教員が多忙は改善されていない、あるいは悪化している、と応えるだろう。ことに昔を知っているベテランの教員が。新任教員などの若い教員は、今の状態が通常と思うだろうから。しかし彼等も「教材研究をする時間がない」「子どもに向き合う時間がない」と思うのは同じ筈である。私もそういう若い教員の声を聞いている。というか私の知っている若い教員は全員が、そう言っている。

多忙が長く問題と言われながら改善されないのは、言っている当人も、また聞いている人も、本当にそれを大問題と思っていないからではないか。私はそんな気がする。書き、論じている人もまた同じ。心から大問題と思ってはいないのではないか。そうでなければ、現状をこのままにはしておかないだろう。学校の、また教員の仕事が増え続けるのを黙認しないだろう。

教員が仕事におわれ、子どもに直接向き合う仕事は思うようにできない。そして疲れ切っている。これが事実なら、まさに事実であり、大問題なのであるが、現場はも

う何もできない、というに等しい。新しいことだけでなく、研修だの改善だのが皆絵空事になってしまうのだ。時間がなくては何もできないからである。まして教員が疲れ切っているにおいておや。

教員の多忙を扱う新聞も、あるいは論者も取り上げたら最後まで見守らないといけない。あるいは面倒をみないといけない。だのに、だいたいは取り上げておしまい。これでは駄目だ、というだけだ。重病人を一時問題にし、後は放っておくようなものだ。

さて、もし大問題となったら、先ず本当にそうかどうかを厳しく実証的に調べないといけない。そしてそれが事実なら何故そうなるかをきちんと分析すべきである。その段階を経て対策が立てられるべきであろう。しかしそんな調査がされたことはないし、何故か、またどういうことかを追求した例も聞かない。それは、本当に大問題と思っていないからとしか考えられない。

それ故に。文科省や教委が現場の多忙を取り上げないのは、それが事実と知っているから、という意地悪い見方も成り立つ。もし、現場が超多忙なら、その上に立つものは、何もかもが空中楼閣に、あるいはバベルの塔になってしまう危険があるから。

とにかくこの大問題の解決には、衆知を集めてことに当たらないといけない。私はもちろん、誰でも個人で考え扱うような小さい問題ではないのだ。ことは教育、次世

代の育成に、即ち国家の命運に関わる。これを考えないでどうする。

②教員、学校の仕事をこれ以上増やさない

これは1で述べたことが実現すれば、当然のこととして行われる筈のこと。事実が逆なことがまた1の所論を証明することになる。

今までも教員・学校の多忙は事実であるが故に全く対策がなかった訳ではない。しかしそれらに効果がなかった、あるいは少なかったのは、それ以上に新しい仕事、すべきことが増え続けていることが大きな原因。もともと、多忙が事実なら新しい仕事の導入には慎重になるべきだが、誰も、表立ってはそうでない。とにかく現状では教員にまた学校に新しい仕事・やるべきことを増やしてはならない。これ一般論だと反対する人は教員にはいない。

ところが、それが「良いこと」となると話は別。多くの教員が賛成あるいは認める。反対したら怠け者、ひねくれ者とされる。ときには「教育の破壊者」などと言われることも。仕事は、たとえどんな良いことでも増やしてはならない。もしどうしても増やす、導入するなら、それに見合う何かを減らさなければいけない。

ある後輩の教員と話した。彼は言った。「あなたがいた頃と比較すると、忙しさが

増してめちゃくちゃだ。」と。それは先ず英語次いでパソコンのせいだ、とも。必要なものを加えるなら、前述のように何かを減らす等何らかの対策を講じるべきであろう。何回も書いてきたように何か仕事が増えるとき、直接子どもに向き合う仕事が、本当の仕事が削られるのだ。

今まで学校には数限りなく新しい仕事、することが取り入れられた。しかし、それに見合う対策などなされたためしがない、少なくとも私の記憶にはない。

そもそも、何か社会で問題が起こると、すぐに「学校で」「教育で」となる。そしてその後必ずと言ってよいほど教員の仕事が増える。

例　平成27年7月11日の新聞記事、岩手県でのいじめによる中学生の自殺事件に関して。

岩手県でいじめによる中学生の自殺事件があった。この学校では、いじめ防止のアンケートを「毎年度、5・11・2月、に実施する予定だったが行事で忙しいとの理由で6月下旬にずれ込んだ」と言う。

ここで、いじめ防止のためのアンケートが新しく増えている。そして忙しいので、実施時期がずれ込んだ。このアンケートはずれ込んでは意味がうすくなってしまう、と考えられるが、背に腹は替えられなかったのであろう。仕事が目一杯の学校に新しい仕事を持ち込めばこうなるのが相場である。学校には新しいことを容れる余地はないからだ。ずれ込んだ、は良い方で結局実施しなかった、となることも十分あり得る。11月までずれ込めば5月分は消滅になるからである。さらにいじめがなければ、またあってもこの学校のように表面化しなければアンケートは不要、あるいは無用である。「ずれ込む」を繰り返してアンケートそのものが消滅ということもあり得ないことではない。

もう一つの例。

平成27年8月4日の新聞記事・ある代議士のツイッターへの投稿に関して。

ある代議士のツイッターへの投稿。

〝彼等、彼女らの主張は「だって戦争に行きたくないじゃん」という、自分中心、極端な利己的考えに基づく。利己的個人主義がここまで蔓延したのは戦後教育のせいだと思うが、非常に残念だ〟

ここでも教育が出てきている。これと関係があるのかどうか、その後道徳の教科化とか愛国心の教育などが話題になった。要するに教育は何にでも良く現れる、ということ。そしてだいたいはその後学校の仕事が増える。

③②の系――○○教育に注意する

ここでは過日私の書いた文章をそのまま引用させて戴く。それはある新聞に掲載された、ＥＳＤ（持続可能な開発のための教育）を全校で実施すること、についての文章に対して私が書いたもの。筆者は（文中……さんと表記）それを肯定し、期待している。私はそれに疑問を感じて書いた。ただし新聞に掲載はされなかった。私がこれを書いたのは「ＥＳＤのような○○教育こそ学校を多忙にしている」と考えるから。

「持続可能な開発のための教育」とは異存のない題目です。しかしこういうものに現場（学校を指す、この文のための注）は困り、迷惑するのです。当たり前ですが学校は指導要領に決められた、多くは教科書で示される内容を教えるところです。ここで、現場の多忙を想起してください。他のことを行う時間や余裕はないのです。学校は超多忙なのです。「良いことは取り入れ」て学校でＥＳＤに取り組むと仮定しましょう。

先ず、ＥＳＤとは何かについて定義し、それを学校の、具体的には教員の、共通のものにしなければなりません。ところがＥＳＤに限らず「研究」に取り組むたいていの学校ではこれがなされていません。非常に不十分にしか。私の知る限りでは。理由はもちろん「そんなことをしている時間はない」からです。

次には、○○教育を実行する、即ち子ども達に指導する時間を見つけだし、実行方法もまた確立しなければなりません。もともと学校の教育課程・教育計画には余裕はありません。それは当然のこと。だから計画外のＥＳＤなどを割り込ませるには智恵と工夫が必要です。これだけでも相当な時間と手間がかかる。それを学校・現場がしなければなりません。必要なこともできないほど忙しい現場が。…さん（対象の文の書き手）が書いているように、ＥＳＤは範囲が広く、何でも容れようと思えば容れられる。こういうものは、一般につかみどころがなく取り扱いが厄介なのです。

さて、こういうＥＳＤのような○○教育こそ実は現場を多忙にしている犯人なのです。少なくてもその一人です。既述のように学校は指導要領に基づく教育課程を持ち、計画あるいは内容は既に存在しています。ここに○○教育を容れることは大きな仕事を増やすことなのです。しかも「満員電車にもっと詰め込む」行為。通常の計画や内容もこなせないのに他のものを何故容れることがありましょうか。こんな簡単な、誰にでも分かることを誰一人問題にしない。遺憾ながら…さんも。私はこのことが不思議でなりません。

今までもＥＳＤのような○○教育は数え切れないほどありました。最近だけでも福祉教育、環境教育、エイズ教育、純潔教育、食育、金融教育、読解力をつける教育、体力向上教育、学力向上教育等々。これどう思いますか。こういう教育を全部していたらもともとあった国語や算数が、普通の教育ができなくなるでしょう。これが今の学校の姿なのです。

○○教育の問題点をもう一つ挙げましょう。列挙したものを見れば気が付くようにこれらは通常の普通の教育に総て含まれています。あるものは前提として。あるものは基本として。

福祉教育を例に取りましょう。学校には生活保護を受けている貧困家庭の子ども、父母のどちらか、稀には、両方がいない欠損家庭の子ども、体に障害のある子ども、いわゆる障害児などがいます。こういう子どもには教員も子どもも十分な配慮をし、必要な援助をしなければなりません。しかもそれを教員も子どもも対象の子どもと対等で平等の人間として、施しや、恵みに堕することなく、自然に行わなければなりません。これは学校教育の前提であり基本でもあります。福祉教育などとことさら言うまでもなく当然のこととしてなされなければいけません。そしてこれが十分になされれば特別な福祉教育は必要ありません。というかこれこそ福祉教育ではないでしょうか。そして、子どもはこれができるのです。福祉教育を例にしましたがこれと同じあるいは類似のことは他の○○教育の殆どに言えます。

詳説は略しますがそれ故に○○教育は指導要領に記載し、教育課程に容れられ、教科書に書かれるまでは学校に持ち込むことを避けるべきです。多忙を悪化させないために。学校は教科書の内容程度の必要最小限のことを全ての子どもに教える場所。今それが多忙で危機に瀕しているのです。

さらにもう一つ基本的ともいうべき○○教育の問題点を挙げましょう。前のこととほぼ同じですが少し見方を変えて。学校は○○教育の○○の基礎を学び、身につける所です。

先ず、どういう○○教育も、字が読めなくては取り組めません。また、人の話が聞けなければ、聞いて理解できなければ何もできません。また、自分の考えや感じたことを言えなければ、また文章で表現できなければ、これまた何もできません。以上の国語の内容がどんな○○教育にも必要なことは明らかです。このことは算数以下の教科についても同じです。小中学校は○○の土台となることを修得するところです。繰り返しますがその基礎基本を子どもの身に付かせようと、現場は苦労しているのです。準備する時間がなくて、工夫研究の時間がなくて。遅れた子どもの面倒がみられないで。

もう一つ再論。○○教育は学校が当然行うべきことを取り立てて強調しています。今度は環境教育を例に取りましょう。…さんなら知っているでしょうが、非行少年の第一の、少なくとも顕著な特徴は物を粗末にすることとです。逆に学校では教員も子どもも、鉛筆や、ノート・紙を大事にすること、また学校の水や電気などを無駄使いしないように、努めるべきです。周囲に目を移して。教室・校庭を安全そして清潔に保たなければなりません。これらは当然のこととしてなされなければいけないことです。

ですが、これら、同時に環境教育ではないでしょうか。こういう、当たり前のことには「手が回らなくて」変な、凝ったこと、注目される新奇なことをしている、それがかなりの環境教育研究校の実態です。時間が極度に不足している学校で余分なことをすれば普通のことができなくなる。これは当然なのです。（中略）

ただし、指定研究あるいはその発表において、従事した教員も、参観者も勉強した教員には力が付くことはあり得ます。その点、意味のあるケース、学校もある。さらに研究テーマが実質的なもの、普通の教育に近い、あるいは同じと言えるもの、である他、研究のやり方も地に足が着いていて効果をあげることもある。それは他校に良い影響を与える。しかし私の管見ではそういうケースは稀です　（引用終わり）

突然の闖入にも似た引用で恐縮である。いささか脱線、逸脱の部分もあるかと思う。

しかし、○○教育が学校を多忙にしている大きな要素であることは理解いただけるのではないか。教育が時代や社会の要請に応じて内容を変えることは当然あり得る。しかし○○教育で学校は仕事が増えるばかりであることに留意いただきたい。

④不急、不要の仕事を減らす

今まで論じてきたことは、要するに、教員には、仕事が、行うべきことが多すぎるということ。ならば、不急不要の仕事を減らすことこそ、問題、多忙解消の眼目となるべきことである。仕事を減らすか、勤務時間を長くするかしか根本的な解決はない。勤務時間を長くすることは不可能であり、またすべきでない。ということは仕事を減らすしかない。場合によっては不急不要でなくても、必要な度合いの低いものは減らさなければならない。そして、ノー残業デイのような仕事を減らさない策が方向違いで駄目なことは論じた。

＊再び教員の本当の仕事は何か――雑務・雑用という言葉

不急不要の仕事を減らす、という前に、教員の本当の仕事は何なのか、をここで再度確認したい。言うまでもなく、それは子どもを教えることを基本とした子どもに直接に向き合った仕事である。これが私の、だけではないと思うが、基本の考え。それをやろうにも時間がなく、既述の、ジレンマの果て犠牲になったもろもろである。

平成27年7月28日の朝日新聞に、次の見出しの記事があった。

「授業・雑務14時間、息もつけない多忙な先生の一日に密着」これは、ある小学校教師の一日を記者が追ったもの。教員の多忙さがよく分かる優れたルポだ。

ここでいう「雑務」は現場ではよく雑用とも言われる。「雑用が多い」「雑用ばかり」のように。それについては既に論じた。また定義についても同じ箇所で論じている。

ここでは、それ、雑務・雑用に対する管理職の平均的な態度を論じておきたい。

その一。教員が「雑用」という言葉を使うと、彼等は決まって「仕事に雑務（雑用）などというものはありません。どんな仕事も大事な仕事なのです」と言う。雑務（雑用）を命じる立場の彼等にあっては、そう言うよりないのであろう。雑用と言えどもしなくてはならないことなのだからその意味では正しい考え、言い方である。ただし、教員の多忙さについて、それとの関連で、教員の本当の仕事に思いが行っていないのなら嘆かわしいこと。管理職も、それになる前、普通のひらの教員だった筈であり、そのとき多忙を感じたに違いないから。もっとも純粋なひらめ型なら、既述のように多忙は意識されず、また雑用などという観念も持たないのかも知れない。

その二。これも再論。それと似たことだが、教委にいる教員や管理職は、どういう理由か不明だが、同僚や部下に「時間がない」とか「多忙だ」とか言われることを嫌う。ある本に書かれていたことだが、校長が自分の学校に新しい研究をすることを提案しようと考え、教委に相談した。すると相談された教委の者は「そういうことを言うと、時間がない、と反対されますよ」と言ったという。この、教委関係者は「時間がない」と言われることに悩んでいるらしいことが分かる。問題なのは、この担当者が事実である現場の多忙を、言われて困っていることの一つ、即ち不平、不満の一つと考え、取り扱っている、ということ。つまり、現場の多忙を考えていない、ということ。これが当たっているなら、それ、ひらめ型のせいか、あるいは目先のことだけしか考えていないのか、どちらにしても暗然とすることだ。

まとめ。以上のように管理職や教委にいる教員が雑務・雑用を認めず、関連して多忙を話題にすることを嫌がるなら、それらは問題になりにくく、多忙の解決からは遠のく。「上に立つ偉い人」の意向は誰も無視できないからである。

ただし、初めに引用した新聞の投書は校長が発していた。このように、教委にいる教員、あるいは管理職の教員であっても多忙が問題と言う人はいる。事実である以上当たり前のことだが。

さて本題、不要・不急の仕事を減らすに戻ろう。これはできることであり先ず、これに取り組むべきであろう。これは、①で述べたこと「多忙が重大な問題であると認識すること」ができればかなりの改善が期待できる。ただし学校の範囲では解決というほどの改善は、現状では無理であろう。文科省初め上部機関が本気にならないと。

＊給食について――減らすべき雑用か

雑用に限らず仕事を減らすのは学校において誰も異論のないところ。なにしろすべきことが多すぎるのだ。それで「学校から給食をなくすと良い」という議論がある。これは教委関係者や管理職などの要路の人に多い感じだ。前記定義からは雑用である。そして給食関係の仕事がなくなれば学校のすべき事は大いに減る。しかし、現段階では私はそれにには反対である。確かに給食において学校、教員の負担は大きい。しかしそれ以上に子ども、保護者の利益は大きいのではないか。各家庭で子どもの弁当を毎日作るのは大変だ。手間・暇の総量からは、給食の方が断然効率が良い。お金・予算も給食の方が断然かからない。教員にも同じ。私は毎日弁当・昼食の心配をしないで済んで本当に良かった。これ繰り返すが子ども・その保護者も同じであろう。また給食は、貧しい家庭、あるいは忙しい家庭ほど利益がある。逆に。恵まれた人たちから「悪平等」という批判、あるいは不満が出る所以でもあるが。

学校・教員が自分のことだけ考えれば給食はない方が、明白に良い。しかし学校の多忙も、そんな自分さえよければよいという考えがその背後にあるのではないか。

＊給食費の未納分の回収

ここで、私の教頭時代の右記のことを、もう時効だから書いておこう。あるとき、市から、通達がきた。それは「給食費の未納分が○円以上もあるから、各学校は家庭訪問をするなどして全力で回収に努めてもらいたい。」というもの。その通達は職員に伝達し学校としても対応の処置はした。しかし校長は言った。「忙しい現場にこんなことをさせるなど言語同断。○万と言っても市の子ども一人当たりにすれば100円強の額。給食費を払っていないのは、殆どが貧困家庭だ。税金はそういうところに使うべきだ。」私も全く同感だった。それで通達に形式上は従い行動したが実質的には無視した。あるいは市教委もそういうつもりの通達だったのかも知れない。

＊予防接種（注射）

同じような話をもう一つ。おそらく、学校の仕事を減らすという目的であろう、学校で行っていた予防接種を、各保護者がそれぞれ自分の子どもを医師のもとへ連れて行ってすることになった。このとき私はそれに賛成しなかった。反対も。というのは迷ったから。すると周囲、同僚達から奇異の目で見られた。現場の多忙をいつも唱えているのに、仕事を減らすことに反対している、と。

私の考えは給食の場合と全く同じ。学校で一括して行うのと、保護者が各自医師のもとに出かけるのとでは、手間暇が全然違う。学校の教員のことだけ考えればない方が良いに決まっている。しかし学校の仕事が減るぶん、子どもと保護者の手間は大きく増える。これも総量を比較すれば比べものにならない。また、学校でしている時には0である、未接種の子どもがかなり出るだろう。学校での接種は、学校でそれをすることは、これも繰り返すが忙しい家庭、大部分の家庭を大きく助けているのである。

⑤表簿、報告等の書類を全廃する

右記のものは総てなくす。理由は不要だから。山積している表簿のうちから代表して重要で保管書類の一番に出てくる指導要録を検討しよう。教員は皆年度末の一番忙しいときこれを作成、記入しなければならない。そして期限までに提出しなければならない。さらにこれは、子どもの転出・転入に伴ってついて回る。しかし、ここが重要。よく記憶願いたいが、これ記入以外に使った、あるいは出したことは私の全担任時代に一度もないのだ。教頭時代も同じ。少なくとも私が教頭であった学校では出した用事は一度もない。もちろん、受験の内申書と卒業の時は写しをつくる。それは用事ではない。あるから写しをつくるのでなければ写しもできない。それに絶対必要というものではない。現在の通信簿があれば十分だ。

つまりただ存在するだけ。使い道は全くない。前担任の記入したのを見て参考にするという建て前になっているが誰もそんなことはしない。知らなければならないことは引き継ぎ時に、また職員会議で示される。それ以外のことは見る価値などない。第一子どもは自分で見て判断するのが基本だ。

要するに不要なものに莫大とも言える手間、暇、お金をかけている。これが指導要録。そしてこれ学校の表簿の典型である。いちいち書かないが外の表簿もほぼ同じ。

補強のため幾つかのエピソードを書こう。

その一。あるとき記入するために開いて驚いた。記入してある行動の評価が殆ど全員の全項目が真ん中、ＡＢＣのＢなのである。考えてみれば私も他の教員も同じようなものではあった。しかし見事であった。もちろん誰も文句を言う者はいない。

要するに記入してあれば良いのだ。学習の記録の方は、当時はいわゆる相対評価で、５４３２１の分量が決まっていたからそう言うことはできない。ただこれは原則であって、よほど割合が違っていなければ黙認であった。絶対評価となった現在では学習の成績もどのようであっても原則許される。

その二。指導要録を記入して提出しなければいけない年度末。その期限について、管理職は極めて厳格である。これには例外はない。職員にたいして集会・会議で厳命する。期限遅れの前科のある者や、危ない者には個別に注意する。しかし、内容については、指示も指導もない。ひたすら、期限を強調する。ということの含意は「何でもいいから期限どおり早くやれ」ということ。内容は書いてあれば何でも良い、ということ。聞いた教員はもちろんそのようにする。そもそも忙しくてそれ以外の対応は不可能である。その結果オールＢということにもなる。それが、熟慮の結果か、手抜きの結果は誰にも分からない。

もっとも大事とされる指導要録の実態がこれ。他の表簿も押して知るべし。学校は、そして教員は教える存在、表簿のための存在ではない。

今度は調査・統計をやり玉にあげよう。たくさんの調査だの統計だのがあるが、子どもにも、教員にも役にもたたず、関係もない。一番の問題点はそれらが行われても対応する結果が全くないことだ。現場や教員が納得するような対応は皆無だ。即ちそれらは現場には無用だ、ということ。良い例が教員の多忙を示す調査や統計。それはいくつも何回もあったが事態は改善されない。悪化の一方だ。嘘だというなら、現場の教員にアンケートをとってみよ。

多くの教員が文科省の調査を雑用の第一に挙げるのは以上の理由であろう。何だかんだと、記入も手続きもうるさいのに、現場に利益は、良いことは、何もないのだ。

⑥文科省は解体的改革

文科省は大切な行政機関とされている。だが、現場から感じる文科省というのは多くの通達でまた調査や統計で仕事を増やし現場を苦しめる存在である。典型的なことは日の丸・君が代の現場への強制。各教委は文科省が言うからと言って強制している。それはその通りのようだ。以前新聞で文科省は政権党に言われるからやっている、という記事を見た記憶がある。日の丸・君が代を否定するのは日本人でない、などと血迷ったことを言っている。先祖代々日本に住み、日本で生まれ育った人は皆日本人だ。

君が代の好き嫌いなど関係ない。また日の丸・君が代が学力にも体力にも人間性にも関係ないことは明らかである。ただしこれは私の考え。教員の多忙さと異なり君が代・日の丸支持の人がいても良い。思想は自由だ。だが、現場の忙しさについてはそういう人もよく考えて、私の主張を理解してほしい。

さて、不要な仕事を増やすだけの機関は現場には不要である。何かあると現場無視の、実行不可能のような通達を出すだけ。「対策」のうち、これほど楽なことはない。実行するのは現場、責任を問われるのも現場。通達にしてからが、一般論を、大体は分かり切った語句・文章を並べてあるだけ。統計や調査については既に述べた。大変な手間暇かけて提出しても現場の利益になったことなどない。少なくとも私は、一度も、「ありがたい」だの「良いことだ」など思ったことはない。文科省がなくなれば仕事が減ることは確実とすら思うある。

⑦教員の定員増は必要。しかしそれだけでは駄目。

「多忙には教員の定員増が必要」と良く言われる。その通りである。私も異論はない。しかしこの、言わば結論にはいくつか問題が、それも重大な問題がある。

その一。今の子どもには間に合わない。定員増は、手続きとしては法律を改正しなければならない。最低でも一年はかかる。子どもも教員も今現在困っているのだ。

その二。今のままでは仮に定員増をかなりしても事態は変わらない。問題の基本は教員に仕事をする時間がないことなのである。同じ仕事をする人数が増えるのなら効果はある。しかし現状では増えた教員もまた多忙になるだけだ。次の問題は教員の仕事が増え続けていること。これを止めなければわずかな定員増ではとても追いつかない。

こういうことになるのは、①で述べたように、教員の多忙さということをきちんと分析、考究していないことがある。それ故にこのようなことになる。現状ではかなりの定員増をしても、（第一にそれ、実現はとてもできそうもないが、）事態はそれほど改善しないであろう。大蔵省が教員の定員増を効果がない、と認めないことがあるのは、残念ながら妥当な面もある。

その三。二と関係があること。多くの教員の多忙さを論じる人は、これ、定員増を結論として、それも最終的な結論として「一件落着」あるいは「能事終われり」としてしまう。それでは駄目。実現しなければ何にもならない。言う以上は実現まで言い続け実現を見届けていただきたい。

その四。定員増は難しいことだ。というのはお金が、予算が必要だからである。予算の大半は人件費だとも言う。以前人一人（定員増一人）にかかる予算が一億、と言われていた。（これ生涯賃金を言っていたのであったと思う。）今はもっとかかるであろう。現在の日本は、巨額の負債を抱え、財政が破局的な状態だ。こういうときに教育にだけ予算を使うことはできないのである。限られた予算は使い道がたくさんある。餓死の危険のある人に生活保護を、貧しい病人に医療を、老朽化して危険な橋の補修等々に。これらを押しのけて教育費を、というのは慎重でなければならない。繰り返すが自分達の都合だけ考えてはいけない。

ここで言っておきたい。私の考える多忙解消策は定員増をのぞきお金のかからないことばかりであることを。それどころか、予算を減らせることだ。多忙の認識しかり、雑用・雑務の削除しかり、表簿、調査の廃止しかり。

13　補充の論

①「仕事を一人で抱え込まない」「仕事を抱え込んでいる教頭さんもいる」という表現

初めのものは教育に関する教員の自殺等の問題があったとき、新聞などで評論家や学者あるいは教委関係者などがよく言う。仕事あるいは問題を一人で抱え込まないで上司とあるいは同僚と共有する。そして共同で対処する、という意味である。後のものは私がある会合で実際に聞いたこと。両方とも仕事を抱え込むのは良くない対処だということであろう。

「抱え込む」のは避けられるなら避けた方が良い。しかし、それは簡単ではない。そんなことは当たり前だ。

ある個人に厄介な問題あるいは難しい仕事があるとしよう。この処理が大変だとして、そのことを同僚や上司に言ったらどう受け取られるだろうか。第一にそれは愚痴と取られるだろう。自分のことは自分で行う。これが社会の大原則だ。できないのは駄目人間である。これがどの社会でも常識だ。誰が駄目というレッテルを甘受するだろうか。平成27年12月、たまたま見たテレビで若い女性教員が自殺をした事件を扱っていた。その女教員は同僚の先輩に相談した。すると「一人前だろう。ちゃんとやれ。」と言われたと言う。また、これは私の体験。ある校長、この人は「教員は大変だ。私は現場第一主義、教員を守る」と言っていた。なので私が「今、教員は仕事が多すぎてどうしようもない」と言った。すると彼は「そういう教員は退職するのだ。どの世界でもギブアップしたらやめるものだ」と言った。要するに、これらが、同僚上司の本音なのである。というか社会の常識ではないか。こういう社会で誰が自分のことを相談できるだろうか。一人で抱え込まない、という人々はこの社会と人々の常識を越える何らかの考え、あるいは方法を示さなければいけない。それをしないで言っても無駄口だ。

さらに、その上に、今まで述べたように、学校には暇な人間はいない。教員は皆大忙しである。こういう状況のなか「一人で抱え込まない。」などと、何を言っているか、と思ってしまう。自分で手一杯の人に気安く頼める、あるいは相談できるわけがない。

次の「仕事を抱え込んでいる教頭さんもいる。」これは昔、私の聞いた、教頭の集まった会合で講師役の人の言ったこと。当時まさにセブンイレブン勤務（あさ7時から夜11時まで仕事）に近かった私などはそういう教頭だったのであろう。もともと激務の教員の中でも教頭は激務である。朝は7時、帰りは早くても7、8時というのが教頭。ところがごく稀には9時5時に近い勤務の教頭もいる。そのうちの一人は普通の教頭達と異なり「教頭は楽だ。」と言っていた。同じ教頭でどうしてこんなに違うのか。以下これを分析しよう。

先ず、教頭の仕事のうちしなくても良いというのは原則ない。ただし仕事の中には他の職員にしてもらう、あるいはさせることが可能なものがある。そこに着目して、他人にさせるつもりで仕事を調べ、そういう仕事をピックアップする。そしてそれらを実際に「部下」にさせる。そうすれば、教頭の仕事は減り、「仕事を抱え込まない」で済む。「楽な」教頭はこうしているのである。

そこで問題。私は多くの教頭と同じく、そうはしなかった。何故か。第一。学校に暇な職員はいないのだ。誰も多忙で苦しんでいる。仕事を他の人にさせる、ということは自分が「楽に」なるぶん、仕事を割り当てられた他の人は大変になる、ということ。これは私にとっては良いことながらやらされる人には良くないことだ。即ち真の多忙解決ではない。である以上「他の人に仕事をさせる」ことを、普通なら躊躇するであろう。即ち躊躇しないで他人に仕事をさせることを実行した教頭が「仕事を抱え込まない」教頭なのである。

当然教頭だった私の出た会議で右のことを言った講師は教頭以上の立場の人だ。教員は、原則教頭を経ないでそれより上には行けない。つまり彼は教頭時代に躊躇しないで他の人に仕事をさせていたのであろう。

そして最下等とは言え管理職である教頭は仕事の上で先頭に立たなければならない。担任教員の大変さを良く知っている教頭は同僚部下に仕事をさせるのは悪いと思うのだ。結果「仕事を抱え込む」こととなる。学校にあってはこのこと、教頭でなくても事情は同じだ。

仕事をするのがすごく早い。他人の倍のスピードでできれば仕事は半分になったと同じになる。これ、理論的にはあり得る。しかし実際にはあり得ない。のろまな私と言えどもスピードも能率も最大上げようと努力はしている。自分の感じとは逆ながら「仕事の速さナンバーワン」などと言われたこともあった。とにかく、そんなに早いという人は見たことも聞いたこともない。さらに、かなりの場合、早いは雑と同義である。丁寧に行えば時間はかかる。

さらに。仕事にはする必要がないものもあるかも知れない。もし必要のないことをしていたら大忙しの教頭としてはおかしい。しかし、である。この必要のあるないが、複雑、そして微妙なのである。ここで、話を分かり易くするために一時教頭を離れて普通の担任の例を再度出そう。

授業の準備、教材研究は授業に必要な仕事である。そして言わば本当の、本質的とも言うべき仕事だ。その理由は既に書いた。そして、これも書いたことながら、それ法律や規則で定められた義務ではない。即ち、必要であっても義務ではない。その意味では必要でないとも言える。

これが、教頭の仕事にもある。教頭の場合には義務としてどうしてもしなければならないことと、必要ながら義務ではないこととの境界がより不分明だ。例えば要提出の書類の伝達。これが何時も何種類かある。これについて、頭を使わずに、来た順番に、また出しやすい順にどんどん出す、即ち命じる。これが普通のやり方かも知れない。

しかし私は状況を考え、またやりやすさなどを考慮して順番、出し方などを工夫する。その分頭を使う。時間もかかる。「仕事を抱え込む」こととなる。私、教頭が時間を使うぶんは職員にとっては取り組みやすさとなる。少なくとも私はそれを意図する。これが、時間のかかる、「仕事を抱え込む」有力な、ときには最大の理由である。

これが正しければ、「仕事を抱え込まない」「楽だ」と言う教頭は私（多数がそうだと思う）と異なり、職員には不親切そして利己的だ、ということ。

「仕事を抱え込まない。」ことを奨励する会議・研修会の主催者や講師あるいはコメンターは地位の高い人である。自身が「仕事を抱え込まない」を実践しているに違いない。ということは他人に、同僚に「仕事を抱え込ませて」いるのではないか。こういう人は、本人は功なり立身していても、周囲や職員にとって好ましいタイプではない。

②ボランティア活用は学校の多忙を解決するか

学校、教員の多忙への対処として、学生にボランティアとして学校に入ってもらう、とかPTAで学校支援チームを作って応援するとかいうことが各地で行われているようだ。

学校を外部から支援する、その発想には意義があると私も考える。またそれらを進めている人、ボランティアの人の善意は疑わない。意義の第一は、学校、教員の多忙を認めていることである。しかし問題がその先にある。と言うのは、私が既に書いたように、その解決のためには、先ずそれを問題として認識しなければならない、それが出発点なのだが、それを問題でなく、ただの事実として受け止める、そういうことにならないか、と危惧するから。そうなると、現状は、つまり多忙も、肯定されてしまい基本的に解決しない。ボランティア活動も一つの対症療法になってしまう。

以上を前提に、もう少し具体的に考察したい。ボランティアで問題が解決するだろうか。残念ながら現状では私は懐疑的、場合によっては否定的である。

先ず、一つ言っておきたい。学校に、また学級に、それがボランテイアであっても誰かが来る、というのは客を迎えることだ、ということ。客が来てくれるのは、うれしいことである半面、忙しい学級、教員には迷惑なのである。忙しい職場は、原則人が行くべき所ではない。客への対応は予定外の仕事、私は非常に負担だった。初めはそれが態度、口調に出てしまい、客には失礼なことであった。それで、あとにはそういう内心はおくびにも出さず、ゆったりと、そしてにこにこと対応するようにした。もちろん多忙という事情が変わったのではない。私の態度にだまされてほしくはなかった。

用事があって来る人は、普通は皆そうだだが、仕方がない。それへの応対は正規の仕事である。でも歓迎はしない。それはだいたい仕事が増える結果になるからである。さらに、客との応対で、良くトラブルが発生する。「あいさつしない」「良くない口のききかただ」「態度が悪い」などなど。とくに議員など「偉い人」のときに多いが、客は皆同じである。それボランテイアであっても基本は同じ。

一番の問題は、必要な支援は何か、そしてどのように行うかについて、ボランテイアなど学校支援者と学校との打ち合わせ、話し合いが必要なのに、学校・教員にそれをしている時間がないことである。できないことはしない、ということで肝腎な打ち合わせは、どうしても不十分になる。すると、効果がうすいどころか学校に仕事が増えて逆効果ということもあり得る。

そこで学校支援のボランテイア、支援チームが効果を挙げるには以下の条件が必要である。それは客でなく支援に徹する、ということ。災害地に出向くボランテイアと同じやり方が必要である。彼等は食事・宿泊などの自分のことは総て自分で行うという。これは当然で、そうしなければボランテイアは被災地に迷惑をかけに行くことになる。学校も事情は同じ。支援が必要、ということは被災地と同じである。仄聞。ある県には学校に問題が起こるとかけつけて事に当たる支援チームがあるという。その特色は、問題が起きた学校に駆けつけると、当該学校と関わりなく、総て独力で事態に対応すること。そして収束までことにあたり終わると引き上げる。学校の多忙支援者もこのようにすれば少なくとも学校の迷惑にはならない。一つのヒント、あるいは方策である。

次に、一番とは異種のことで恐縮ながら、教員の仕事にはボランテイア達が代われないものが多い。これも書いたことだが、教員の多忙は第一が教材研究の時間が制度的にないこと、子どもに直接向き合う時間が、これもないことに大きく由来する。そしてこの二つの仕事こそ教員の本当の仕事であり、他人が代わってすることのできないことである。もちろんそれ以外の仕事を全部ボランテイアがやってくれれば問題は解決する筈だが。

学校支援の発想は文句なく正しい。しかしそれが効果をあげるには今まで述べた問題点をクリアしなければならない。

ボランテイアの一種なのか、私は奇妙な「学校支援」を聞いた。それは、テストや宿題の採点を親が行う、というもの。奇妙と思うのは、テストや宿題の採点は、教員がすべき仕事だと思うから。既述のようにテストなどの採点は、評価という授業の不可欠の過程の一部、大切な一部だからである。繰り返すが評価は教育の本質的な部分。教員が行ってこそ意味がある。採点を親がするなら授業も親がすべきである。つまり、教員は不要となる。親に採点をさせる、などということが平然と行われるのは、もちろん教員が多忙過ぎるからである。と同時に、これも既述のことながら、教員の本来の仕事は何かという基本的なことがはっきりしていないという重要な問題が隠れているのだ。

＊＊終わりに

以上、教員とくに小学校の教員の多忙さについて書いてきた。縷々述べてきた事項のうち一つだけ選ぶとすれば「教員の、つまり学校の多忙さを緊急・そして重大な問題と認識すること」になるだろう。読者にこれを切に望みたい。

〈著者紹介〉
篠原孝一（しのはら・こういち）
1941年　群馬県草津温泉に生まれる
1961年　東京都立九段高校定時制卒
1966年　群馬大学学芸学部卒
　　　　以後、埼玉県戸田市の小学校に勤務
2002年　戸田市立戸田南小学校を最後に定年退職

現住所
〒330-0044　埼玉県さいたま市浦和区瀬ヶ崎4-28-17

「教師の多忙」とは何か

2017年2月8日　初版第一刷発行

著　者　篠原孝一
発行者　斎藤草子
発行所　一莖書房
〒173-0001　東京都板橋区本町 37-1
電話 03-3962-1354
FAX 03-3962-4310

印刷・製本／アドヴァンス　組版／フレックスアート
ISBN4-87074-206-2　C3037